ÉCHEC AUX DAMES

« CLASSIQUES DU ROMAN POLICIER »

Ouvrages déjà parus

JOHN D. MACDONALD

ÉCHEC
AUX DAMES

PRESSES DE LA CITÉ
PARIS

Le titre anglais de cet ouvrage est :

YOU LIVE ONCE

Traduction de Joëlle de BEAUMONT

Copyright © 1957 by Presses de la Cité.
ISBN 2-258-00696-1

1

J'ai toujours eu un mal fou à me réveiller. J'envie les gens qui sont capables de sauter à bas de leur lit, frais comme des gardons et en parfait état de marche. A moi, il me faut deux réveils, les matins où je travaille. Et encore, ce n'est pas toujours suffisant.

Ce matin-là, le martèlement prolongé à ma porte finit tout de même par me tirer de l'inconscience. A tâtons, j'attrapai ma robe de chambre et, tout en faisant des efforts désordonnés pour l'enfiler, je titubai lourdement, encore englué de sommeil, dans la direction générale de la porte d'entrée.

Je savais qu'on était dimanche matin et aussi que j'avais un horrible mal de tête, sans proportion aucune avec la quantité d'alcool que j'avais ingurgitée la veille. La douleur semblait concentrée en un point situé au-dessus de mon oreille droite, et de la superficie d'une pomme. Or, c'est par une migraine qui me traverse le crâne de part en part que se traduit ordinairement chez moi la gueule de bois. Alors pourquoi ce point douloureux?

J'ouvris le battant et, clignant des yeux dans la vive lumière du soleil, je vis deux hommes qui se tenaient sur le perron. L'un d'eux était en uniforme. Leur voiture était garée à l'endroit où je range habituellement la mienne.

— C'est vous Clinton Sewell ? s'informa l'homme en civil.

Sur ma réponse affirmative, ils entrèrent.

— Vous êtes sorti avec Mary Olan hier soir ?

Je m'assis et levai vers les deux hommes un regard inquiet. J'avais peur de comprendre de quoi il retournait.

— Un accident ? Elle est blessée ?

Le civil était d'humeur loquace :

— Qu'est-ce qui vous fait dire ça ?

— Je vous jure qu'elle me paraissait tout à fait bien. L'air de la nuit l'avait remise d'aplomb. Elle m'a dit qu'elle se sentait en état de conduire et je l'ai crue.

— Donc vous aviez rendez-vous avec elle hier soir ?

— Exactement. Hier après-midi, elle a joué au golf avec une amie au *Locus Ridge Club* et il avait été convenu que j'irais la retrouver en fin de journée, avec les Raymond, et que nous dînerions là-bas tous les quatre. Il y avait une soirée dansante. Je suis arrivé vers six heures, et les Raymond m'ont suivi de peu. Mary avait amené avec elle de quoi se changer et elle m'attendait au bar.

— A quelle heure êtes-vous parti ?

— Vers deux heures du matin. C'est-à-dire il y a... neuf heures environ, d'après ma montre.

— Mais vous ne l'avez pas ramenée chez elle ?

A ce moment-là, l'homme en uniforme s'écarta pour aller jeter un coup d'œil dans ma chambre, puis dans ma salle de bains, après quoi il revint se planter à côté de son collègue.

— Non, dis-je. Elle avait sa propre voiture. Elle était un peu gaie. Trop gaie pour pouvoir conduire sans danger. Cela compliquait les choses. Enfin, après discussion, elle a consenti à me laisser la reconduire chez elle. Je devais ensuite prendre un taxi pour me faire ramener soit ici, soit à ma voiture, selon ce que serait mon humeur du moment. Je n'avais pas encore décidé. Nous avions baissé la capote et, alors que nous étions presque arrivés chez elle, elle m'a dit qu'elle se sentait très bien. Comme, effectivement, elle paraissait avoir retrouvé son état normal, j'ai fait demi-tour et je suis venu ici. Elle est repartie ensuite chez elle. Est-ce qu'il lui est arrivé quelque chose sur le chemin du retour ?

— Elle n'est jamais rentrée chez elle, Mr. Sewell. Sa tante a alerté Mr. Stine, le Préfet de Police, ce matin au saut du lit. Cela donne à cette affaire une sorte de priorité. Je suppose que vous savez ce que les Pryor représentent dans cette ville. Est-ce que Miss Olan vous a parlé d'un endroit où elle aurait eu l'intention d'aller ?

— Non. Elle était extrêmement fatiguée. Elle avait fait vingt-sept trous de golf dans sa journée. Nous étions simplement convenus de nous rendre au *Smith Lake,* cet après-midi, pour faire du ski nautique.

— Pourquoi vous a-t-elle déposé ici, au lieu de vous ramener à votre voiture ?

— C'est ce qu'elle avait commencé à faire, tout d'abord, mais ensuite, nous avons décidé qu'elle passerait me prendre ici, aujourd'hui, pour m'emmener au *Smith Lake.* Puis, ce soir, en rentrant, elle me laisserait au Club où je reprendrais ma voiture.

Les deux hommes s'étaient un peu détendus.

— On va apprendre qu'elle est tout simplement allée voir des gens et qu'elle est restée avec eux, décréta celui en uniforme.

Son collègue haussa les épaules :

— Possible. Eh bien ! merci, Mr. Sewell. Excusez-nous de vous avoir réveillé.

Debout sur le seuil, je suivis des yeux les deux policiers, tandis qu'ils grimpaient dans leur voiture puis s'éloignaient. La journée s'annonçait belle et chaude. Ce serait mon second été à Warren, mon second été dans le Midwest. Je me demandai ce qui avait bien pu arriver à Mary. Cependant, je n'étais pas spécialement inquiet, la sachant capable de toutes les lubies. Quoi qu'il en soit, je décidai d'aller au *Smith Lake,* comme si de rien n'était, pour le cas où elle y viendrait. Je pourrais, en tout cas, y rencontrer des amis à elle.

Je venais juste de refermer ma porte, lorsque mon téléphone sonna.

— Clint ? C'était la voix mesurée de Dodd Raymond, mon nouveau patron.

— Comment allez-vous, Dodd ? Est-ce que vous vous sentez aussi malade que moi ? Vous avez bien mangé du homard, vous aussi, n'est-ce pas ? Vous n'avez pas mal à la tête comme moi ?

— Clint, est-ce qu'on est venu vous questionner au sujet de Mary ?

Je pouvais deviner, d'après le ton de sa voix, qu'il parlait de manière à ce que Nancy, sa femme, ne l'entende pas. L'envie me démangeait de le traiter d'imbécile.

— Oui, les flics sortent d'ici. Elle n'est pas rentrée chez elle, cette nuit, après m'avoir déposé ici.

— Je croyais que c'était vous qui deviez la reconduire ?

— La voiture était décapotée. Elle s'est sentie mieux au bout d'un moment.

— Ils m'ont téléphoné. Sa tante leur a raconté qu'elle l'avait entendue projeter de passer la soirée avec nous au Club. Je leur ai dit qu'elle avait rendez-vous avec vous.

— Façon de parler.

— Laissez tomber ! Je leur ai dit où vous habitiez.

— Je vous remercie. Alors pourquoi ne m'avez-vous pas téléphoné pour m'avertir qu'ils allaient arriver ?

— Clint, ce bon dieu de téléphone a sonné au moins trente-six fois avant que je raccroche.

— Enfin, ils ne savent rien jusqu'à présent. Mais elle ne va pas tarder à réapparaître. De toute façon, je vais au lac. Vous en êtes ?

— Je n'en sais rien encore. En tout cas, je vous dis à demain, si vous ne nous voyez pas là-bas.

Il raccrocha. Je passai dans la cuisine, ouvris une boîte de jus de tomate, en remplis un grand verre et l'additionnai d'une bonne pinte de tabasco. Puis, après m'être calé sur le divan, je fis lentement disparaître le mélange. La douleur, au-dessus de mon oreille droite, me lancinait toujours.

Je pensai à Mary et à mon fichu grand imbécile de patron, Dodd Raymond. Mes rendez-vous avec Mary Olan étaient censés détourner les soupçons, comme par enchantement. Je n'aurais jamais marché dans une telle combinaison, si ce n'avait été pour Nancy, la femme de Dodd. Et j'avais fidèlement essayé de suivre le plan — informulé — de Nancy. Même cette nuit, lorsque j'avais parqué la voiture de Mary dans l'allée sombre qui longe l'un des flancs de ma maison, éteint les lanternes et risqué une attaque directe, c'était encore ce but que je poursuivais. Mary s'était laissée embrasser, mais le cœur n'y était pas. C'était une femme sensuellement vulnérable, mais je n'étais pour elle rien d'autre qu'un bon camarade. Elle me l'avait dit. Histoire de voir comme elle allait réagir, je lui avais suggéré de laisser tomber Dodd. Elle ne s'était pas mise en colère ; elle avait simplement éclaté de rire. J'avais alors fait une autre tentative, sans grande conviction, mais celle-ci avait été interrompue par l'arrivée intempestive d'un fichu crétin qui avait utilisé mon allée pour opérer un demi-tour, nous inondant de la lumière de ses phares.

Le charme s'en était trouvé rompu. Nous avions alors projeté l'excursion au lac et j'avais expliqué à Mary de quel genre de sommeil je dormais. Après lui avoir arraché la promesse qu'elle ne se servirait pas d'eau froide si je n'étais pas levé, j'étais descendu de la voiture puis, ayant ouvert ma porte, je lui avais confié ma clé.

Je me souvins que, une fois au lit, durant le peu de minutes de répit que m'avait laissées le sommeil avant de s'abattre sur moi comme une masse, je m'étais senti agréablement émoustillé à l'idée que Mary Olan allait venir m'éveiller le lendemain matin. Il n'y avait pas une chance sur un million pour qu'elle me tirât doucement de l'inconscience puis qu'elle me laissât l'attirer dans mon lit tout chaud, mais il n'existe pas, à ma connaissance, de loi qui interdise de rêver.

En un sens, je ne pouvais pas blâmer entièrement Dodd Raymond. Mary Olan est plutôt petite mais très bien faite. Je crois que je pourrais enfermer sa taille entre mes deux mains. Elle est brune, ronde et ferme, avec des longs cheveux qu'elle passe son temps à rejeter en arrière. Elle a un visage fin, une bouche charnue, une expression à vous faire damner et plusieurs millions de dollars investis dans différents trusts. Les serveurs et les portiers accourent et s'inclinent très bas dès qu'elle lève un petit doigt ou seulement un millimètre de sourcil. Même vêtue d'un maillot de bain en loques et perdue au milieu d'une plage surpeuplée, elle serait encore quelqu'un. De plus, elle a en elle quelque chose d'électrique qui jetterait à coup sûr la perturbation dans l'équipement d'un laboratoire de recherches. Même les baisers sans conviction qu'elle m'avait accordés auraient pu faire fondre un bon bout des neiges éternelles du Kilimandjaro.

Je m'étais rendu compte, durant la courte période

de temps où j'étais sorti avec elle, que sa vie privée avait été assez agitée pour que, n'eussent été ses millions, on la traitât de roulure. Mais, dans la bonne société de Warren, on se contentait de la qualifier pudiquement d' « excentrique » ou de « dégourdie ». Mary avait à son actif un mariage, un divorce, quelques escapades et divers autres scandales. Ces révélations avaient porté un coup à ma vanité masculine. S'il n'est point déshonorant de perdre son temps auprès d'une vierge chaste et pure, il n'est, en revanche, pas précisément flatteur d'essuyer un échec de la part d'une femme émancipée. Par la faute de Mary, je commençais à me sentir à peu près aussi viril et séduisant qu'une tasse de tilleul. Pour me rassurer, je me répétais que, si elle m'avait repoussé, c'était parce qu'elle avait Dodd en tête.

Aujourd'hui, me disais-je, elle sera peut-être arrivée à son point de saturation. Peut-être s'abandonnera-t-elle, et alors Nancy sera heureuse à nouveau. Dodd souffrira et se consolera. Quant à moi, je ne m'embêterai pas.

Je me levai, me débarrassai de ma robe de chambre et de mon pyjama et obliquai vers la douche. Après cinq minutes d'ablutions je me séchai, me rasai puis, ayant jeté un petit coup d'œil dans la glace, je me dirigeai vers mon placard pour m'habiller. En étendant le bras pour attraper mon pantalon gris, je baissai les yeux et c'est alors que j'aperçus un pied de femme chaussé d'un escarpin de chevreau doré. Je le fixai un moment, hébété, la tête soudain vidée de toute pensée. D'une main tremblante, je fis glisser quelques vêtements sur la tringle et, devant mes yeux horrifiés, apparut le visage déformé, violacé, hideux, à peine reconnaissable de Mary Olan.

Je ne pouvais plus détacher mon regard de cette face effrayante. J'étais fasciné, littéralement, comme on l'est au bord d'un gouffre béant.

Enfin, faisant effort sur moi-même, je m'agenouillai et posai mes doigts sur la cheville de Mary. La chair était froide — d'un froid particulier. Et, à l'intérieur du placard, mêlée à la fragrance musquée du parfum dont la jeune femme se servait, flottait l'odeur fade, écœurante de la mort.

Au bout d'un moment, je repoussai encore quelques costumes et allumai la lumière dans le placard. Je vis alors ce qu'elle avait autour du cou.

A la fin de l'automne, alors que j'achetais quelques chemises, un vendeur énergique m'avait collé une ceinture de tissu rouge agrémentée de tout un assortiment d'anneaux de cuivre. Ce n'est pas le genre de choses que j'achète habituellement. Je crois qu'en tout je l'ai portée deux fois. La dernière fois que je l'avais vue, elle pendait de la tringle à cravates fixée à l'intérieur de la porte de mon placard.

A présent, elle était serrée autour du cou de Mary, les anneaux de cuivre s'enfonçant profondément dans la chair tendre qui avait bleui et enflé. Mary portait encore sa robe de la veille, une chose sans manches et sans épaules, avec un haut en lamé et une ample jupe blanche. Elle était assise dans le coin du placard, la tête inclinée sur le côté, l'une de ses jambes étendue — c'était celle que j'avais vue en premier — l'autre pliée à angle vif. Sa jupe était remontée sur ses cuisses, découvrant un slip diaphane dont la blancheur tranchait sur le hâle de sa peau.

Je refermai la porte du placard. La présence de ce corps était comme un poids qui m'oppressait. Je ne savais qu'une chose, c'est que je voulais m'en débarrasser, l'emmener hors de chez moi et le déposer quelque part ailleurs. Je me sentais incapable de raisonner sainement tant qu'il serait là.

Je songeai à téléphoner à la police et essayai de m'imaginer tenant à peu près ce discours. « Deux hommes sont venus chez moi tout à l'heure pour me questionner au sujet de Miss Olan. Je viens juste de la trouver dans ma penderie, morte, étranglée avec ma ceinture. » Voilà qui aurait sonné pour le moins étrange. Or mon cas s'aggravait du fait que j'avais passé la fin de la soirée avec Mary. Et que j'avais bu. Pas beaucoup, certes, mais quel moyen aurais-je de le prouver ? Les deux policiers témoigneraient qu'ils m'avaient tiré du lit, et qu'ils avaient eu assez de mal à me réveiller pour qu'on pût penser que j'étais encore sous l'effet d'une cuite.

La vérité n'était rien moins que plausible. Cette nuit, pendant mon sommeil, quelqu'un avait amené Mary chez moi. Elle était encore vivante à ce moment-là, aussi était-ce donc chez moi, nécessairement, qu'elle avait dû être étranglée. Et moi, j'avais dormi pendant tout ce temps-là.

Quoi qu'il en soit, quelqu'un l'avait fait. Quelqu'un qui haïssait Mary, et qui me haïssait tout autant. Ce n'est pas précisément agréable de découvrir qu'on peut inspirer une haine de cette nature.

Je m'habillai lentement et passai dans ma cuisine pour me confectionner du café. Le liquide que, distraitement, j'avalai trop tôt, me brûla le gosier. Tout en continuant à balancer entre les deux branches de l'alternative qui s'offrait à moi, j'avais conscience du temps qui passait. A plusieurs reprises, j'obliquai vers le téléphone, mais pas une seule fois je ne fus capable de poursuivre mon geste jusqu'au bout. Je ne pouvais me résoudre à affronter la police, armé seulement de la pauvre, invraisemblable vérité.

Lorsque je consultai ma montre, je découvris, avec surprise, qu'une heure s'était écoulée depuis que j'avais trouvé le corps de Mary. Je crois que ce fut cette heure qui pesa dans la balance et emporta ma décision. Je me dis qu'il était trop tard pour téléphoner à la police à présent et qu'il ne me restait plus qu'à me débarrasser du cadavre.

Une fois que je fus capable d'affronter ce problème particulier, mon cerveau commença à fonctionner mieux. Tout en faisant mon lit, mécaniquement, je m'ingéniai à mettre au point un plan convenable. Puis, lorsque j'eus lavé les quelques ustensiles dont je m'étais servi et remis un peu d'ordre chez moi, je décidai que ce que j'avais de mieux à faire avant toute chose, c'était d'aller récupérer ma voiture. Ce n'était, en effet, certainement pas sur mon dos que j'allais pouvoir emmener ailleurs le cadavre de Mary. J'appelai donc une station de taxis et, dix minutes plus tard, un véhicule arrivait. Avant de partir, je pris le double de ma clé dans le tiroir de mon bureau puis, une fois dehors, je fermai soigneusement la porte à double tour derrière moi.

Lorsque le taxi m'eut déposé au Club, je retrouvai ma Mercury noire qui stationnait sagement au soleil. Je m'installai au volant et repris le chemin de mon domicile, le cœur battant. Je m'attendais à retrouver ma maison cernée par les voitures de police. Mais elle était telle que je l'avais laissée. Des abeilles bourdonnaient au-dessus des tournesols et les ormes projetaient dans l'allée leur grande ombre tranquille.

De retour chez moi, je cherchai le moyen le plus pratique et le moins hasardeux de résoudre ce problème : transporter le cadavre du placard au coffre de ma voiture. Rien ne me disait que Mme Speers, ma vigilante logeuse, n'était pas actuellement postée à l'une de ses nombreuses fenêtres. Il fallait non seulement que le corps ait l'air d'être autre chose, mais aussi que je puisse prouver que c'était autre chose si on me questionnait plus tard.

Je savais de quoi je pourrais me servir pour l'envelopper. J'avais, à l'arrière de ma voiture, une

16

vieille couverture usagée dont, pendant les nuits d'hiver, je recouvrais le capot de la Mercury garée à la belle étoile. Je passai dans la cuisine et jetai un coup d'œil dans le réduit qui y attenait et où j'entassais les débris divers. Warren dispose d'un service de voirie, mais celui-ci ne se charge pas d'enlever les boîtes de conserve et les bouteilles vides. Vous en êtes quitte pour les garder chez vous, jusqu'à ce que vous en ayez assez pour nécessiter une expédition au dépotoir municipal. J'en détenais présentement une collection satisfaisante.

Mon plan semblait au point. Je sortis et manœuvrai ma voiture de façon que le coffre arrière se trouvât tout près de la porte d'entrée. Puis, prenant la couverture, je réintégrai mon appartement. Je commençai par empiler des boîtes vides et des bouteilles dans un petit carton et allai l'installer d'un côté du coffre, bien en vue. Comme par magie — une magie qui ne m'étonne plus depuis longtemps — Mme Speers se matérialisa à cinquante mètres de moi et se dandina dans ma direction, un sourire aux lèvres et une paire de cisailles de jardin dans sa main droite gantée de toile.

— Vous allez au dépôt, Mr. Sewell ? demanda-t-elle.

— Je crois qu'il est temps. Je ne savais plus où les mettre.

— Oh ! cher Mr. Sewell, est-ce que vous ne pourriez pas prendre les miennes en même temps ? Joseph a oublié de le faire, jeudi, quand il est venu pour le jardin.

— Je voudrais bien vous rendre service, mais j'en ai déjà beaucoup moi-même. Si vous voulez, demain soir, en rentrant de l'usine, j'irai vous les porter.

— Je ne voudrais pas vous déranger.

— Mais non, c'est d'accord. Je l'aurais bien fait

17

aujourd'hui, mais je ne rentrerai pas ici avant ce soir. J'irai au lac directement.

— Joseph devient vraiment par trop distrait.

Elle avait une furieuse envie de bavarder. La pauvre femme ne s'accommodait manifestement pas d'une solitude à laquelle elle n'avait pas été habituée. Sa vie durant, elle s'était occupée de son mari et de ses gosses. Maintenant les gosses étaient grands et avaient déserté le foyer, et le mari était mort.

— Demain sans faute, Mme Speers, promis-je

— Vous êtes bien gentil. Sur un dernier sourire, elle retourna à ses travaux de jardinage. Je rentrai chez moi et refermai la porte. J'étendis la couverture par terre devant le placard, en fixai le battant avec appréhension, puis l'ouvris. Je me sentais au bord de la nausée. Respirant à fond, je m'avançai et tendis une main tremblante vers la ceinture. Il me fallut m'arrêter, puis recommencer à nouveau. Enfin, la ceinture se desserra et je pus la faire passer par-dessus la tête du cadavre. Deux cheveux étaient collés sur le tissu rouge, deux des beaux cheveux noirs de Mary. Je les fis tomber dans la couverture, puis roulai la ceinture et l'enfermai dans le tiroir de mon bureau.

Le pire fut ce qui suivit. Elle était effroyablement lourde. Je l'attrapai par un poignet et une cheville, en m'efforçant de la maintenir loin de moi, mais elle vint ballotter contre mes cuisses. Lorsque je la déposai dans la couverture, elle s'étala sur le côté, ses cheveux lui obscurcissant la figure. J'avais peine à lutter contre l'oppression qui me gagnait. M'armant d'une lampe électrique, j'inspectai soigneusement l'intérieur du placard. Je n'y vis rien de suspect, mais, comme les parois en étaient suffisamment lisses pour garder des empreintes, j'allai prendre une serviette dans le sac à linge et les essuyai consciencieusement.

Ce fut une bonne précaution, car je trouvai ainsi encore trois autres cheveux noirs.

Prenant les quatre coins de la couverture et les réunissant, je soulevai le corps de terre et allai me planter devant mon miroir. Il n'y avait aucun doute possible : c'était un corps enveloppé dans une couverture. Si j'étais sorti ainsi, les yeux de Mme Speers se seraient agrandis comme des soucoupes.

Après quelques minutes de réflexion, je gagnai le réduit et en revins avec un carton plein de récipients vides. Puis, empoignant à nouveau les quatre coins de tissu, je disposai des boîtes et des bouteilles entre le corps et la couverture, de façon à escamoter les contours arrondis trop reconnaissables. L'image que me renvoya la glace cette fois, me parut satisfaisante.

Je comptai jusqu'à dix et, portant mon colis à bout de bras, je traversai le living-room et atteignis la porte d'entrée. Mme Speers était dangereusement proche, en train de tailler un rosier. Il fallait que mon fardeau ait l'air aussi léger que possible. Je fis appel à toutes mes réserves de force pour le porter négligemment et le balançai à l'arrière de ma voiture où je réussis à le faire atterrir sans trop de bruit. Au moment où je lâchai prise, j'entendis le tissu se déchirer. Le coude hâlé de Mary apparut dans la déchirure. Je fis claquer brutalement le couvercle du coffre sans oser regarder du côté de Mme Speers.

— Seigneur ! s'exclama-t-elle, vous en avez un joli tas.

— Oui, un drôle de tas, cette fois. Je les ai laissées s'accumuler trop longtemps.

— Comment se fait-il ? Je croyais que vous étiez allé au dépôt la semaine dernière ?

— Je n'avais pas tout pris ce jour-là.

— C'est vraiment une journée idéale pour aller au lac. C'est au *Smith Lake* que vous allez ?

— Oui, madame.

— Mr. Speers et moi, nous y allions souvent dans le temps. Il adorait la pêche à la ligne. Il ne prenait jamais grand-chose, mais ça lui était égal. Il aimait ça.

— C'est un passe-temps qui en vaut bien d'autres.

— Comme vous avez de la chance, Mr. Sewell, avec l'été qui arrive, d'avoir des amis au *Smith Lake*. Ça vous fait changer un peu d'air. Qui allez-vous voir, là-bas ? L'une des vieilles familles ?

— C'est Mary Olan qui m'a invité.

— Pas possible ! Leur maison est l'une des plus anciennes de l'endroit, vous savez. C'est certainement la plus grande, du moins ça l'était à l'époque où j'allais là-bas. Vous savez, Mr. Speers et moi, nous connaissions très bien Nadine et Rolph Olan. Je veux dire que nous étions des amis *intimes*. Lorsque Mary était toute petite, ma plus jeune fille jouait souvent avec elle. Leur drame a été un coup terrible pour notre ville, Mr. Sewell. Ils étaient tellement en vue.

— Je ne sais pas grand-chose de cette histoire. Et Mary ne m'en a pas parlé, naturellement.

— Elle ne le peut pas, la pauvre petite. Mais je m'en souviens comme si c'était hier, de l'expression de Mr. Speers lorsqu'il a lu ça dans le journal. Nadine avait toujours eu l'air d'une femme si tranquille. Presque timide. Et sensible aussi. Et Rolph était si intelligent en affaires. On dit qu'elle n'a jamais réagi à aucun traitement et qu'elle devra rester dans cette maison jusqu'à la fin de ses jours. Mais peut-être au fond est-ce une bénédiction qu'elle ne soit pas capable de réaliser qu'elle a tué son mari. Après la tragédie, nous avons entendu dire que Rolph avait... fréquenté quelqu'un d'autre. (Mme Speers rougit pudiquement). Je suppose que c'est ça qui a fait perdre la tête à Nadine. C'était une Pryor, vous savez. Willy Pryor était son frère. Il est sorti quelque temps avec ma plus jeune sœur avant

20

d'épouser cette Myrna Hubbard. Je crois que Mary Olan habite avec eux.

— Oui, en effet.

— C'est étonnant que Mary, la pauvre petite, ait survécu à un tel choc. Pensez! Avoir découvert le corps de son père comme ça. Enfin, si on vous attend là-bas, vous ne devez pas laisser une vieille femme vous retenir avec ses bavardages et ses souvenirs. Faites toutes mes amitiés à Mary.

— Je n'y manquerai pas.

— Je crois... Je sais que ça ne me regarde pas... mais je crois que cette Mary brûle la chandelle par les deux bouts. On dit qu'elle boit sans arrêt.

— Plus que de raison, je pense.

— Il me semble que vous ferez aussi bien de l'oublier. Avec tout son passé et tout. Il faut dire que ce n'est pas entièrement de sa faute, la pauvre, si elle est un peu détraquée. Enfin, allez-vous-en et amusez-vous bien. Au revoir, Mr. Sewell.

Je la saluai, tout en grimpant dans ma voiture et mis le cap dans la direction du dépotoir municipal. Je conduisais comme si je roulais sur des œufs. Quelques minutes auparavant, il ne s'était agi que d'un corps, quelque chose dont il fallait que je me débarrasse. La conversation de Mme Speers en avait fait de nouveau Mary Olan, la fille que j'avais embrassée la veille. Mes mains étaient moites sur le volant.

Il fallait que j'aille au dépôt. Si jamais il y avait interrogatoire, mes dires concernant mes faits et gestes seraient vérifiés. Le dépotoir de Warren se trouve à l'est de la ville. Il est parfaitement bien organisé, avec de vastes tranchées creusées au bulldozer. Lorsque j'y arrivai, un tombereau en train de se décharger et une familiale occupée par un homme et ses deux gosses, formaient la queue de la rangée. Je me rangeai à leur suite et reculai jusqu'à la fosse.

Personne ne pouvait voir ce qui se passait à l'arrière de ma voiture, et personne ne viendrait vraisemblablement se garer tout près de moi. On dirait que les gens aiment être tranquilles pour se débarrasser de leurs ordures. J'ouvris le coffre et en tirai le carton, que je jetai dans la fosse. Puis, écartant les bords de la couverture, j'en sortis les boîtes et les bouteilles, en essayant de ne pas toucher le cadavre et de ne pas le regarder directement. Le soleil faisait jouer les feux de deux gros diamants qui ornaient le bracelet-montre de Mary. Il me semblait pouvoir sentir l'odeur de mort qui flottait autour d'elle. Je la renveloppai précipitamment, fermai le couvercle et me réinstallai au volant. Comme j'allais dépasser la familiale, celle-ci démarra et je vis là une chance qu'on se souvienne de moi. J'avais largement la place de passer, cependant je donnai un vigoureux coup de klaxon. L'homme et les deux gosses se tournèrent et me lancèrent des regards furieux et dégoûtés. Froidement, j'appuyai de nouveau sur l'avertisseur en les regardant avec placidité, et ils dégagèrent le terrain. Je repris la direction de la ville. Il me fallait revenir en arrière pour retrouver la route du Nord qui mène aux collines de la région des lacs. Il semblait y avoir un nombre exceptionnel de voitures de police en circulation pour un dimanche après-midi. Je traversai le pont, au milieu d'un trafic intense, et enfin piquai vers le Nord. A trois kilomètres de la rivière, je dépassai la Warren Tube and Cylinder Division, succursale de la Consolidated Pneumatic Products, la firme qui m'emploie. Je m'abstins de lui accorder un regard. La masse imposante et respectable de mon usine soulignait davantage encore l'horrible absurdité de ma situation présente.

Lorsque j'eus abordé les collines, j'eus l'embarras du choix entre plusieurs routes secondaires qui conduisaient à de petits lacs. Je me rabattis sur l'une des moins fréquentées. Elle était étroite et accidentée, escaladant crête après crête pour retomber dans des vallonnements escarpés. Je n'avais encore rencontré aucune voiture et cherchais désespérément un chemin de traverse. Lorsque j'en vis un, à ma droite, un ancien sentier de forêt à peine visible, je braquai brutalement. Des feuilles et des branches égratignèrent les flancs de la Mercury au passage. Je roulai encore pendant sept ou huit cents mètres environ. J'étais ainsi tout à fait hors de vue de la route.

Je mis pied à terre et prêtai l'oreille un moment. Soudain, j'entendis au loin un bruit de moteur. Il mit longtemps à se rapprocher, puis s'affaiblit progressivement. Je n'avais même pas pu entrevoir la voiture à travers les feuilles. Le silence était maintenant total, à l'exception du murmure d'un ruisseau qui coulait dans les parages.

Je savais qu'il fallait en finir. J'ouvris le coffre, rabattis les bords de la couverture autour du cadavre et le soulevai hors de la voiture. Je le traînai jusqu'au bord d'une petite dénivellation puis, lâchant deux des coins de tissu, je le laissai rouler. Il hésita une seconde sur le bord de la pente, puis fit trois ou quatre tours sur lui-même et s'arrêta, retenu par le tronc d'un jeune pin. Une boîte de jus de fruits vide que j'avais oubliée suivit le même chemin et continua sa course le long de la pente. Je me hâtai d'aller la récupérer — de crainte qu'elle portât des empreintes — puis la rejetai dans le coffre. Cela me fit penser aux empreintes des pneus ; je me souvenais avoir lu que la police avait des moyens de les identifier. Un examen approfondi me révéla que les miennes étaient relativement nettes en deux endroits. Je ramassai un bâton et les effaçai, après avoir calculé qu'il m'était possible d'éviter ces endroits en repartant.

Je pliai ensuite la couverture en un tas aussi petit

que possible et, m'enfonçant un peu plus dans les bois, je trouvai une vieille souche pourrie, percée, sur le côté, d'un grand trou où je tassai le paquet de tissu jusqu'à ce qu'il ne fût plus du tout visible.

Avant de remonter en voiture, je ne pus m'empêcher de contempler encore une fois le corps de Mary, immobile à quelques mètres de moi. Elle paraissait ridiculement petite, comme une enfant habillée avec des vêtements de femme.

Dans l'ombre épaisse des sapins, sa jupe faisait une tache de clarté lumineuse. Je restai debout à regarder cette forme étendue, souhaitant m'en aller, mais figé sur place, empoigné par un souvenir récent. Cela s'était passé un soir, alors que, comme d'habitude, nous étions sortis avec Dodd et Nancy. Dodd s'était montré maussade mais Mary, en revanche, avait été d'une gaieté folle, comme si elle s'était payé notre tête à tous trois. Après que Dodd et Nancy furent rentrés chez eux, Mary avait insisté pour continuer la soirée. Nous avions traîné dans la moitié des bistrots de la ville. Quand elle avait commencé à être saoule, elle était devenue plus tendre. Il était clair comme de l'eau de roche qu'elle avait une dent contre Dodd. J'avais senti que je pourrais être l'instrument de sa vengeance et la combinaison était tout à fait à mon goût.

Nous avions atterri dans un petit motel minable, à cinquante kilomètres de la ville, et où un employé bedonnant m'avait, avec un clin d'œil complice, réclamé dix dollars. Une fois que nous avions été enfermés dans la chambre, elle s'était jetée à plat ventre sur le lit et s'était mise à sangloter. Elle n'avait pas voulu me dire pourquoi elle pleurait. Lorsque je lui avais demandé si elle voulait partir, elle n'avait pas répondu. J'avais alors essayé de l'embrasser, mais elle m'avait repoussé. En désespoir de cause, je m'étais assis sur une chaise et avais allumé une cigarette en attendant qu'elle se décide à donner le signal du départ.

Enfin, elle s'était séché les yeux et s'était remise sur pied puis, après m'avoir embrassé du bout des lèvres, elle était passée dans la salle de bains. J'avais entendu la douche couler pendant quelque temps puis, brusquement, le bruit d'une chute. J'étais accouru et avais trouvé Mary allongée par terre, le corps à moitié hors de la douche. Sa tête avait heurté le carrelage. Je l'avais transportée, toute humide, sur le lit.

J'étais allé chercher des serviettes et je l'avais séchée. Son pouls battait lentement, mais fort. La plaie de son front était bénigne et je m'étais demandé si elle ne jouait pas la comédie. Je l'avais prise dans mes bras, mais elle était demeurée complètement inerte. Comme je la suspectais toujours de feindre, j'avais été tenté, un moment, de lui faire dévoiler sa supercherie en la possédant. La passivité totale d'une femme éveille toujours, chez un homme, une sorte de bestialité atavique. Cependant, il y avait encore la possibilité qu'elle fût réellement évanouie ou bien qu'elle ait été victime d'une espèce de crise d'hystérie.

Et, aussi désirable que fût son corps, aussi abandonnée qu'elle fût, je n'avais pas pu être assez cynique pour en profiter. J'avais étendu sur elle une couverture et étais allé me coucher dans l'autre lit.

L'aube pointait à peine lorsqu'elle m'avait réveillé. Elle était toute habillée, impatiente de partir et dans un état de rage contenue. Sur le chemin du retour, elle n'avait pas prononcé une parole. Quand je l'avais déposée devant l'allée des Pryor, il faisait grand jour. Elle m'avait quitté sans un mot et s'était dirigée vers la maison sans se retourner. Par la suite, lors de nos rencontres ultérieures, elle s'était comportée avec moi comme si rien ne s'était passé.

Jamais plus, entre nous, il n'avait été fait allusion à cette nuit-là.

A présent, debout dans la semi-pénombre des bois, les yeux rivés sur le corps raidi de Mary, je le revoyais tel qu'il était lorsque je l'avais tenu dans mes bras. Je voyais le galbe de ses hanches, la rondeur de ses bras, les deux globes fermes de sa poitrine et le hâle lisse de ses épaules. Personne, jamais plus, ne connaîtrait la réponse avide de ces lèvres chaudes, l'étreinte palpitante de ce corps. Il appartenait désormais à la mort, pour toujours. Avec un frisson, je me détournai et gagnai ma voiture. J'étais ému et tourmenté. Et malheureux.

2

Je roulais maintenant de nouveau sur la grand-route. Chaque seconde m'éloignait un peu plus du corps de Mary Olan. Je me répétais que j'étais en pleine forme. Que tout allait bien. Que j'étais un type formidable. En réalité, je me sentais malade de honte et de dégoût de moi-même.

Bientôt, je m'arrêtai devant un Routiers et, après m'être installé au comptoir, je jetai un coup d'œil au menu. A la première évocation de nourriture, mon estomac se serra comme dans un étau. Je me bornai à commander une tasse de café noir.

L'image de Mary était toujours devant mes yeux. Je la voyais lorsque, la veille au soir, elle s'était avancée à ma rencontre, sa jupe blanche ondulant au rythme de ses hanches, sa longue chevelure brune lui balayant les épaules. A présent, il y avait un pin en travers de son corps, et la première personne qui s'aventurerait dans les parages verrait cette jupe blanche et ces jambes brunes — quelque chose hors d'usage qu'on aurait mis au rebut.

Sa mort n'avait guère été digne, mais j'avais l'impression d'y avoir ajouté une indignité supplémentaire. Je m'étais, en quelque macabre façon, associé à son meurtrier. A nous deux, nous avions dépouillé Mary Olan.

Le coup de téléphone à la police — celui que j'aurais pu donner — ne me paraissait plus tellement stupide. Certes, les flics m'en auraient fait voir de dures, mais ça n'aurait pas duré longtemps. Quel mobile aurais-je pu avoir ? Ils avaient des méthodes d'investigation précises et des techniciens éprouvés. Tôt ou tard, ils auraient bien fini par découvrir quelque chose. Il était invraisemblable que quelqu'un ait pu tuer Mary Olan et la mettre dans mon placard, sans laisser un indice important.

Lentement, je commençais à réaliser que, au moment où je me croyais d'esprit sain, logique et raisonnable, je me trouvais en réalité sous le coup d'un choc émotionnel. Je m'étais complètement fourvoyé. Stupidement, je m'étais débrouillé pour détruire tout indice éventuel. Sous prétexte de me tirer du pétrin — peut-être — j'avais fait cadeau au meurtrier d'un avantage sans prix. Lorsqu'on trouverait le cadavre, l'assassin pourrait peut-être parfaitement prouver qu'il n'avait pas eu la possibilité matérielle de le transporter dans les bois, à quarante kilomètres de la ville. Il allait être hautement enchanté de ma coopération. Peu à peu, la pleine notion de ma propre stupidité s'imposa à moi. Ma réaction avait été celle d'un homme affolé. Peut-être, en faisant ce que j'avais fait, m'étais-je tiré d'affaire, mais rien n'était moins certain. Si j'avais commis une faute, si quelque chose m'avait échappé, j'avais détruit tout ce qui pouvait prouver mon innocence.

Si j'avais commis une faute, elle allait m'être fatale. « Mesdames et Messieurs les jurés, le Ministère public se propose de vous prouver que l'accusé, Clinton Sewell, a tué Mary Olan et a caché le cadavre dans le placard de sa chambre à coucher jusqu'au lendemain midi, heure à laquelle, sous prétexte de porter des ordures au dépotoir municipal, il a placé le corps, enveloppé dans une couverture, dans le coffre de sa voiture et l'a emmené dans un endroit désert, sur les collines, où il l'a abandonné. Le Ministère public se propose de prouver que, après s'être débarrassé du corps comme exposé précédemment, Clinton Sewell s'est rendu au *Smith Lake* et a prétendu qu'il attendait que la victime vienne l'y rejoindre. »

Ils pourraient me faire apparaître comme un monstre. Je me sentais glacé de la tête aux pieds. Et puis, brusquement, je songeai à quelque chose qui me fit plus froid encore. A supposer que la police, en s'appuyant sur la question du mobile, serre de près le meurtrier réel. Celui-ci sait ce qu'il a fait du corps. Il saura donc, par déduction, ce que j'en ai fait moi-même. Ce sera pour lui la chose la plus facile du monde que d'aiguiller à nouveau les flics sur moi. Un petit mensonge par-ci par-là, par exemple quelques paroles qu'il mettrait dans la bouche de Mary — ça n'aurait certes pas valeur de preuve mais ça suffirait pour les lancer à mes trousses. « Mais oui, Mary m'a dit que Sewell devenait intenable. Elle m'a raconté qu'il avait essayé de l'étrangler, puis qu'il avait prétendu ensuite que c'était une plaisanterie. Elle m'a dit qu'il lui faisait un peu peur et qu'elle ne sortirait plus avec lui après ce samedi soir. »

Je commandai une autre tasse de café. J'avais été vraiment très intelligent. Aussi intelligent qu'un type que j'avais connu à l'usine de Fall River, la première année où j'avais travaillé pour la C.P.P. Il était employé à la commande d'un marteau-pilon. Un jour, le marteau n'était pas redescendu. Alors il s'était penché au-dessus de l'enclume et il avait regardé en l'air, curieux sans doute de savoir pourquoi l'engin ne redescendait pas, et il avait actionné le levier. Cette fois-ci, le marteau était redescendu.

Je commençais à être pris d'une panique telle que j'envisageai même de retourner chercher le cadavre, ainsi que la couverture, de les ramener chez moi, de remettre la ceinture rouge autour du cou de Mary et de donner — tardivement — mon coup de téléphone à la police. Après mûre réflexion, j'écartai cette idée. Je m'étais mis moi-même dans cette situation. La seule chose qui me restait à faire, c'était de continuer. Et de prier. Prier que je n'aie pas commis d'impair.

La seconde tasse de café était trop chaude pour que je puisse la boire. Je la reposai sur le comptoir. La douleur au-dessus de mon oreille me lancinait toujours. De ma vie, je n'avais eu un tel mal de tête. Soudain, une pensée nouvelle m'assaillit. Peut-être cette névralgie signifiait-elle quelque chose. Peut-être signifiait-elle que c'était moi qui avais étranglé Mary. Peut-être était-elle revenue chez moi. D'après ce que je savais d'elle, une telle lubie était assez dans ses cordes. Et j'avais...

Non, Bon Dieu. L'esprit humain est une chose étrange, mais pas à ce point-là. Du moins pas le mien.

J'étais trop agité pour pouvoir rester là plus longtemps. Je demandai un peu d'eau que je versai dans mon café, avalai ma tasse et sortis.

* *
*

La résidence des Olan au *Smith Lake* a été construite à l'époque où, lorsqu'on désirait un lieu de séjour au bord d'un lac, on bâtissait une maison. Rien à voir avec ce non-sens qu'on appelle bungalow. Elle est en pierre, avec deux étages et un grenier, mais les plafonds des étages sont si hauts que la maison a l'air d'en avoir trois. Les trois ou peut-être quatre générations de gosses qui y ont passé leurs étés n'ont laissé de sa splendeur initiale qu'un confort quelque peu lézardé. Elle s'élève au milieu d'une vaste prairie qui descend en pente douce vers le lac et les hangars à bateaux. En haut, près de la route, se trouvent l'écurie et les garages. Durant l'été, la maison est dotée de toute une équipe de domestiques. Une vigoureuse Suédoise appelée Mme Johannsen fait la cuisine. Sa fille, Ruth, une bonne boulotte timide, s'occupe du blanchissage. Elles viennent toutes deux de la résidence principale des Pryor, ainsi que John Fidd, un homme revêche et au visage plein de loupes, qui se charge d'amener les chevaux de selle de la ferme Pryor et entretient, à contrecœur, le jardin, considérant manifestement le travail de la terre comme indigne de lui. Le dernier membre de l'équipe, Nels Yeagger, est une massive et sympathique jeune brute qu'on a engagée sur place pour s'occuper des bateaux et effectuer les menus travaux.

Grâce à ce nombreux personnel, les Olan et les Pryor peuvent aller et venir comme ils veulent. Les chambres de la maison et celles qui occupent le second étage des hangars à bateaux leur permettent de recevoir toute une foule. Les gens invitent leurs propres amis et restent avec eux, de sorte qu'il est tout à fait possible de passer une journée là-bas sans rencontrer personne des autres groupes.

Lorsque j'arrivai, il y avait déjà huit autres voitures rangées près de l'écurie. Je pris mon slip de bain dans la boîte à gants et me dirigeai vers la maison. La première personne que j'aperçus en entrant dans le living-room fut le jeune frère de Mary, un garçon mince et pâle avec de lourds cheveux noirs plantés très bas sur le front. Malgré son jeune âge, il est déjà plein de dignité. Vêtu d'un sweater à col roulé et d'un short blanc, il était assis devant un échiquier sur lequel une partie était apparemment en cours. Tandis que je m'avançais vers lui, il déplaça une pièce et inscrivit quelques notes sur un calepin. Enfin, il leva les yeux.

— Hello... euh... Clint.

— Qu'est-ce que vous êtes en train de faire ?

Il parut amusé. — Vous voulez que je vous le dise ?

— Allez-y. Juste histoire de plaisanter.

— Je prépare une variante qui implique un second mouvement du fou dans la Défense Nimzo indienne. J'espère pouvoir l'utiliser dans le tournoi qui a lieu à New York, le moins prochain, immédiatement après la fin de l'année scolaire.

— Vous croyez que ces choses peuvent réussir ?

Il me jeta un regard patient, protecteur.

— Tous les tournois ont été gagnés, ces derniers temps, avec des variantes d'une sorte ou d'une autre, préparées à l'avance.

— Etes-vous vraiment fort, John ?

— Après ce tournoi, si je fais aussi bien que je l'espère, je serai le cinquième joueur de la région. (Il ricana subitement.) Vous vous en fichez pas mal, alors pourquoi me le demander ?

A cet instant, il ressemblait tellement à Mary que j'en eus presque le cœur chaviré.

— Mary est là ? demandai-je.

— Comment, vous ne savez pas ? Tante Myrna est dans tous ses états. La petite Mary n'est pas rentrée hier soir. Ils sont descendus en ville, Oncle Willy et Tante Myrna, pour harceler la police.

— Je suis au courant. Des policiers sont venus me voir ce matin, parce que j'étais sorti avec elle hier soir.

— Elle va arriver d'une minute à l'autre, c'est sûr. Mais Tante Myrna s'inquiète toujours. Mary n'est plus une enfant ; elle a vingt-six ans. Moi non plus je ne suis plus un enfant, mais allez convaincre Tante Myrna.

Avant même que je sois sorti de la pièce, il était retourné dans son monde spécial à deux dimensions.

Je descendis à la plage, c'est-à-dire à la bande de sable qui s'étend entre les deux hangars à bateaux.

Des tas de gens s'y trouvaient qui, pour la plupart, m'étaient familiers. J'en saluai quelques-uns au passage, puis entrai dans le vestiaire des hommes et me changeai. Ensuite, je circulai parmi les groupes, échangeant quelques mots avec les uns et les autres. Tous, naturellement, étaient intrigués par l'absence de Mary. C'était un jeu amusant que d'essayer de deviner ce qui lui était arrivé, ou plutôt ce qui lui était passé par la tête.

Je constatai que les trois filles de Willy et de Myrna Pryor étaient là. Ce sont de jolies petites bonnes femmes, brunes et solides, et respectivement âgées de quinze, seize et dix-sept ans. En raison de l'absence de leur père, elles se conduisaient envers leurs trois invités mâles d'une manière considérablement plus libre que celle que je leur avais vu adopter en d'autres occasions. Leurs maillots de bain étaient d'une coupe ultra-conservatrice (idée de Willy probablement), mais l'une d'elles utilisait le derrière de son flirt en guise d'oreiller. Une autre fournissait un traversin à son compagnon sous la forme d'une cuisse ronde et hâlée. Quant au troisième couple, il était tête contre tête et ne se souciait manifestement pas du reste du monde. Les filles s'appellent Jigger, Dusty et Skeeter, mais je ne sais pas à laquelle d'entre elles se rapporte chacun de ces prénoms.

J'avais rencontré au Club, la veille au soir, quelques-uns des autres invités et, comme ils savaient que j'étais sorti avec Mary, je dus raconter mon histoire plusieurs fois, en prenant toujours soin de ne pas m'écarter de la version que j'avais donnée aux deux policiers qui m'avaient tiré du lit.

J'étais en train de parler à une belle blonde qui ne me ménageait pas les œillades incendiaires, lorsque j'aperçus Dodd qui descendait vers la plage, manifestement à la recherche de quelqu'un. Dès qu'il me vit, il obliqua vers moi, tout en prodiguant des sourires et saluts à la ronde.

Dodd Raymond est mon patron. Il est aussi grand que moi, mais avec une bonne dizaine de kilos en plus. Ce poids supplémentaire n'est pas concentré en un seul point de son corps — il est réparti un peu partout, étoffant harmonieusement sa silhouette. Il a des cheveux châtains ondulés, qu'il porte un tout petit peu trop longs. Dans l'ensemble, il a de beaux traits, à l'exception de sa bouche qui est trop petite et qui lui donne, lorsqu'il est en colère, une expression pincée et féminine. Ses manières sont directes et cordiales. On peut dire que c'est plutôt un chic type. C'est ce qui avait été le plus dur à avaler — lorsqu'il était entré en fonctions — de s'apercevoir que c'était plutôt un chic type.

Son prédécesseur, mon ancien patron, avait été le meilleur qui puisse exister.

3

Il y avait cinq ans que j'étais à la Consolidated Pneumatic Products, Incorporated. C'est l'une des plus grosses entreprises mondiales. Vous avez davantage entendu parler de la General Motors et de la General Electric, parce que celles-ci recrutent une partie de leur clientèle dans le grand public. La C.P.P. ne vend strictement qu'à l'industrie. On trouve ses placards publicitaires étalés sur deux pages dans les journaux techniques. Elle possède seize usines, parmi lesquelles la Warren Tube and Cylinder Division est l'une des plus petites.

J'avais débuté à l'usine de Fall River, après quoi j'avais été muté à celle de Buffalo et enfin, l'année précédente, à celle de Warren. C'est un principe cher à la C.P.P. que de forcer constamment ses cadres à renouveler leurs aptitudes. Trois ans est le maximum que l'on puisse espérer passer dans un même endroit. C'est une politique habile. Elle rend vos talents administratifs interchangeables à tous les échelons et vous élargit l'esprit. Et ainsi, lorsqu'un garçon, parti d'un emploi subalterne, parvient à un poste de direction, il est familiarisé avec quelques-unes des usines et connaît personnellement un grand nombre de membres de l'entreprise.

Je m'étais présenté à Harvey Wills, le directeur de

l'usine de Warren, par un pluvieux matin d'avril, treize mois auparavant, comme le nouveau directeur-adjoint à la production. J'étais heureux de mon avancement, mais nourrissais quelque appréhension à l'égard du personnel, bien que Tory Wylan, un de mes amis qui travaille dans les bureaux de la haute direction à New York, m'eût assuré que c'était une bonne équipe.

A l'usage, tout s'était bien passé. Ray Walt, mon patron, avait été très chic, et, à nous deux, nous avions fait du bon travail. En janvier, Ray avait été muté et Dodd Raymond avait pris la relève. Avant de partir, Ray m'avait dit qu'il avait essayé de me faire nommer à son poste, mais que Harvey Wills et la haute direction m'avaient trouvé encore trop vert pour assumer de telles fonctions. Il m'avait conseillé également, bien qu'il n'y fût obligé en rien, de me tenir sur mes gardes avec Dodd Raymond. Il m'avait dit que Raymond était malin et ambitieux et qu'il avait la réputation d'avoir toujours un bouc émissaire sous la main, lorsque quelque chose tournait mal.

Harvey Wills m'avait appelé dans son bureau le jour où Dodd était arrivé, à la fois pour me présenter à lui et pour que je lui fasse faire la visite de l'usine traditionnelle. Dodd, après m'avoir donné une franche et cordiale poignée de main, m'avait dit les choses qu'il fallait et ne m'avait laissé qu'une seule fois l'appeler Mr. Raymond. Je m'étais demandé si Ray ne s'était pas trompé.

Et puis, une semaine après l'entrée en fonctions de Dodd, j'avais reçu une lettre de Tory Wilan qui me confirmait ce que Ray m'avait dit. Il me relatait en détail certaines sales histoires auxquelles Dodd avait été mêlé. Celui-ci s'était arrangé pour faire écoper quelques braves types et s'en était tiré à son avantage. Tory m'écrivait que Dodd avait quelques-uns des membres de la haute direction dans sa manche. Il en tenait pour preuve le fait que Dodd avait réussi à se faire muter dans sa ville d'origine — chose qui était absolument contraire aux principes de la C.P.P.

Après que lui et sa femme se furent installés, il m'avait invité chez lui à diverses reprises. C'est ainsi que j'avais commencé à être mêlé à l'existence de Dodd et de Nancy Raymond. N'eût été Dodd et le poids considérable qu'il avait dans la ville, je n'aurais jamais eu à rencontrer Mary Olan, encore moins à subir le fiasco du motel et, plus tard, à trouver le cadavre de la jeune femme dans mon placard.

* *
*

Il était arrivé à ma hauteur. Avec son costume gris et sa cravate, il faisait bien trop habillé pour le *Smith Lake*.

— Hello, Marilyn, hello Clint. Quelle belle journée aujourd'hui, hein ? En ville, il commence à faire diablement chaud. Clint, est-ce que je pourrais vous parler une minute ? Le ton était un peu trop impératif à mon gré, cependant je m'excusai auprès de ma blonde et m'éloignai, en compagnie de Dodd, dans la direction d'un des hangars à bateaux.

— Qu'est-ce qui se passe ? m'informai-je.

— Il n'y a toujours rien de neuf au sujet de Mary. Clint, je suis réellement inquiet. Ceci ne lui ressemble pas. C'est elle qui a invité la plupart des gens qui sont ici.

— Ils ont quand même l'air de bien s'amuser.

— Comment était-elle lorsqu'elle vous a déposé ?

— Tout à fait bien, Dodd. Exactement comme je l'ai dit aux flics que vous m'avez envoyés.

— Ne soyez pas comme ça, voyons. Ils m'ont questionné ; il fallait bien que je leur réponde.

— Je ne vous savais pas si trouillard.

— Mary est l'une de mes meilleures amies. Vous le savez.

Bien sûr. L'une de ses meilleures amies ! Et il avait cru qu'il allait donner le change à Nancy en s'arrangeant pour que je sorte avec Mary et que, tous les quatre, nous formerions un charmant petit quatuor. Mais je savais, mieux qu'il ne le savait lui-même que, pas une seconde, il n'avait abusé Nancy. Mary, de sa manière très particulière, avait fait complètement perdre la tête à Dodd. Peut-être avait-elle réellement envie de lui. Ou peut-être avait-elle voulu simplement lui faire payer l'inqualifiable déloyauté dont il avait fait montre en épousant une étrangère sans lui en demander la permission. Je n'avais pas été capable de décider ce qu'il en était. Tout ce que je savais, c'est qu'il désirait Mary Olan et que j'avais été un moyen commode de la maintenir à portée. Mary était de sept ans plus jeune que Dodd, mais ils s'étaient très bien connus avant que ce dernier ne quitte Warren. Jusqu'à quel point, je ne pouvais que le deviner.

— Comment Nancy prend-elle ça ? demandai-je, non sans malice.

— Elle est bouleversée, naturellement. Mais laisons ma femme en dehors de ça pour l'instant, voulez-vous ? Vous n'avez pas l'air de vous faire beaucoup de souci pour Mary, Clint.

— Elle va arriver d'une minute à l'autre, dis-je.

— Lorsque vous serez rhabillé, pourquoi ne viendrez-vous pas au bungalow ? Ma mère sera contente de vous voir. Nancy aussi. Nous pourrons boire un verre et bavarder un peu.

J'acceptai l'invitation. Il serait agréable, au moins, de rencontrer Nancy. J'allai prendre congé de Marilyn, qui poussa les hauts cris de me voir partir. Il n'était pas nécessaire de prendre congé de qui que ce soit d'autre.

Je repris ma voiture et longeai la rive du lac jusqu'à ce que je rencontre la plaque de bois qui portait, en lettres de cuivre, le nom : RAYMOND. Chaque année, la mère de Dodd venait s'installer, en compagnie de son infirmière, dans le confortable petit bungalow, dès qu'il commençait à faire assez chaud. Cet été, elle avait laissé à Dodd et à Nancy la jouissance de la grande maison citadine, plutôt que de la fermer. J'imaginais que c'était un soulagement pour Nancy de se sentir enfin un peu chez elle. Mme Raymond était une femme imposante, d'une soixantaine d'années, avec une figure olympienne surmontée de cheveux neigeux, et que l'arthrite confinait dans un fauteuil roulant. Elle avait des opinions catégoriques, auxquelles elle achevait de donner de la force en les répétant plusieurs fois. Dans son échelle des valeurs, le fait que je travaillais pour Dodd me mettait sur le même rang social que la robuste infirmière irlandaise qui la portait chaque matin dans son fauteuil roulant.

Je garai ma Mercury dans l'allée et contournait le bungalow jusqu'à la façade, devant laquelle je savais que je trouverais mes hôtes. La rive du lac est à pic à cet endroit, et c'est par des marches de bois escarpées que l'on accède à la minuscule plage. Dodd avait échangé son complet contre un short jaune, et il avait une bouteille de bière à la main. Mme Raymond était assise dans son fauteuil roulant, à l'ombre d'un grand parasol. Quant à Nancy, elle était vautrée dans une de ces chaises longues garnies de coussins et dotées de roues de bois. Son sourire était exactement celui que je m'attendais à lui voir.

— Alors, jeune homme, m'accueillit Mme Raymond, je suppose qu'ils sont en train de courir dans tous les sens comme des enragés, chez les Pryor, maintenant qu'il est trop tard.

Les deux derniers mots me flanquèrent un coup.

— Trop tard, Mme Raymond?

— Evidemment qu'il est trop tard. C'est un coup des proxénètes.

— Je vous en prie, Mère, intervint Dodd. Vous voulez que je vous apporte une bière, Clint?

J'acquiesçai.

— Ce sont les proxénètes, vous dis-je, décréta péremptoirement Mme Raymond. On n'entend pas beaucoup parler d'eux, parce qu'on oblige les journaux à se taire là-dessus. Mais attendez et vous verrez. Même s'ils ne l'ont pas eue cette fois, ils l'auront la prochaine. Attendez et vous verrez.

Dodd, qui réapparaissait sur la terrasse, me tendit une bouteille glacée.

— Mère en voit partout; tapis derrière chaque buisson, commenta-t-il.

— Vous pouvez plaisanter autant que vous voulez, protesta la vieille dame. Vous pouvez vous moquer de moi. Est-ce qu'on a retrouvé la fille des Cornwall? Oui ou non? Est-ce qu'on a retrouvé la moindre trace d'elle? Non, et l'on n'en retrouvera jamais. Après ce qu'on leur a fait, elles ont trop honte pour rentrer chez elles.

— Peut-être a-t-elle simplement décidé de partir en excursion ou quelque chose comme ça, suggéra Nancy.

— Ha! s'exclama Mme Raymond.

Les suggestions de Nancy s'attiraient toujours une réponse similaire. Je soupçonnais que Mme Raymond avait une dent contre Nancy, non seulement parce que celle-ci avait épousé son fils unique, mais aussi parce qu'après six ans de mariage, sa bru ne lui avait pas encore donné la joie d'être grand-mère.

Nancy s'étira.

— Sapristi, fit-elle, le soleil me rend tout endormie. Quelqu'un veut-il faire un petit tour sur la

40

plage ? En même temps, son regard m'effleura significativement et je me levai aussitôt.

— Je m'y apprêtais justement, dis-je.

— Allez-y tous les deux, insista Dodd d'un ton détaché. Trop détaché, pensai-je.

Nous nous engageâmes sur les marches de bois, Nancy me précédant. Elle portait un maillot gris imprimé, avec une sorte d'effet de jupe. Nancy appartient à mon type de blonde préféré. Des traits purs et délicats, avec une longue chevelure soyeuse. Elle a une voix de petite fille où subsistent d'imperceptibles traces de zézaiement guéri depuis longtemps. Cependant, il y a dans ses yeux bleus une franchise et une intelligence qui empêchent son visage d'être insipide. Sa silhouette, en revanche, n'est pas parfaite. Elle a la taille beaucoup trop longue. Son buste, que l'on peut deviner sous n'importe quel vêtement, est d'une forme et d'un galbe admirables. On en voit plus souvent de semblables sculptés dans le marbre que chez des êtres humains. Si ses jambes étaient en proportion, Nancy mesurerait un mètre quatre-vingts. Mais ce buste merveilleux repose sur des membres courts et épais. Comprenons-nous bien, ce n'est pas quelque chose qui saute aux yeux. Mais lorsque vous avez vu Nancy plusieurs fois, vous commencez à réaliser que, bien qu'elle soit superbe, il y a quelque chose qui cloche dans son aspect général. Et alors, vous voyez pourquoi. Ses hanches sont trop éloignées de sa tête et trop proches du sol.

Nous nous dirigeâmes vers un tronc de pin qui gisait sur la plage à cent mètres de nous.

— Vous avez vu, dit-elle. Il est complètement retourné.

— Oui.

— Clint, est-ce que vous avez une idée de ce qui a pu lui arriver ?

— Pas la moindre.

— C'est quand même bizarre. Mais je... j'espère qu'elle ne reviendra jamais.

Nancy avait dit cela d'une petite voix timide. Nous ne pouvions jamais parler de Mary Olan sans contrainte. Elle devenait gauche et embarrassée lorsqu'elle se rappelait la façon dont elle s'était confiée à moi, le second soir où nous étions sortis à quatre. Si elle n'avait pas été ivre, Nancy ne se serait pas épanchée ainsi dans mon sein — je n'étais alors, en effet, qu'un étranger.

Lors de la première sortie arrangée par Dodd, il y avait eu des courants d'animosité que je n'avais pas compris. Mary et Dodd avaient commencé par nous tenir, Nancy et moi, en dehors de la conversation, en parlant de leurs vieux amis de l'ancien temps. Puis ils avaient évoqué leurs tics et leurs manies. L'attitude de Mary à mon égard avait été naturelle et amicale, mais envers Nancy, la jeune femme avait pris des airs protecteurs. Nancy avait sorti ses griffes, juste assez pour les montrer. J'avais mis cela sur le compte de la méfiance réciproque à laquelle on peut s'attendre, entre épouse et vieille camarade. Et je m'étais même imaginé alors que c'était justement dans l'espoir d'arrondir les angles que Dodd avait réuni à une même table l'épouse et la vieille camarade.

Pour ma part, j'étais ravi. Le nombre de mes relations à Warren était on ne peut plus limité. Les gars qui occupaient à l'usine un poste d'un niveau égal au mien étaient mariés et en puissance d'enfants. Ils m'avaient invité à dîner chez eux plusieurs fois mais, exception faite de ces quelques sorties, j'avais passé tout seul le plus clair de mes soirées.

Bien sûr, il y avait les filles du bureau. Mais la C.P.P. regarde de telles amitiés avec un froncement de sourcils paternaliste.

Warren est une communauté très fermée. Moi, je

faisais partie du flot de population d'après-guerre et, de plus, je n'étais là que de passage et par obligation professionnelle. L'ancienne société de Warren se retranchait rigoureusement derrière ses frontières, se gaussait des mœurs débraillées du « nouvel élément » et augmentait sereinement son niveau de vie grâce à l'argent que nous lui apportions. Aussi en avais-je mélancoliquement pris mon parti, soit en ramenant du travail à faire chez moi, soit en empruntant à la Bibliothèque municipale des livres que je n'avais pas eu le temps de lire auparavant. Lorsque la bougeotte me démangeait, j'allais traîner dans les bars du quartier. C'était une errance lamentable et désespérée. Je déambulais sur les trottoirs illuminés de néon, lorgnant les filles au décolleté provoquant dans les boîtes du voisinage, ou bien leurs clients endimanchés sirotant leur pâle cocktail à un dollar en attendant de fixer leur choix.

A plusieurs reprises, j'en étais arrivé au point où le mariage devient un but en soi, sans considération d'une femme particulière. Le mariage avec une créature sans visage mais dont je pouvais évoquer le corps et qui, par sa chaleur et sa présence, me délivrerait de mon angoisse.

J'étais donc très reconnaissant à Dodd de m'avoir donné cette chance de pénétrer dans un monde qui m'avait primitivement ignoré. Mary Olan n'avait eu qu'à m'ouvrir une porte et toute la ville avait changé de dispositions à mon égard. Clinton Sewell, présenté par Dodd, marrainé par Mary Olan, était devenu tout à fait acceptable. Les gens s'étaient aperçus, à leur grande surprise, que je choisissais sans hésiter la bonne fourchette, que mes épaules n'étaient pas rembourrées, que je savais nouer moi-même ma cravate du soir et que je pouvais soutenir une conversation qui n'avait rien à voir avec les moteurs à hélices, les broyeuses-tailleuses et les abrasifs industriels. J'avais bientôt appris, que dans ces vieilles familles, on considérait la carrière de Dodd à la C.P.P. comme plutôt extravagante et hardie. Alors que la magistrature, la médecine, la banque lui étaient ouvertes, il avait préféré devenir un technicien. Aller travailler dans l'une de ces nouvelles usines, au-delà de la rivière, à faire Dieu sait quoi ! Encore heureux qu'il ait pu s'arranger pour se faire renvoyer chez lui. On les expédie un peu partout comme du bétail, vous savez. Cette petite femme qu'il a ramenée d'on ne sait où à l'air plutôt gentil. Et, pour tout le monde, il semblait à peu près aussi manifeste que Dodd aurait bien aimé épouser Mary Olan. Pour autant que je fusse amusé et irrité par l'attitude du vieux Warren, je n'en étais pas moins délicieusement flatté d'avoir été reçu et accepté.

C'est à l'occasion de mon second rendez-vous avec Mary Olan que Nancy, au mépris de toutes les convenances, avait mis à nu son âme en détresse. C'était un samedi soir, au mois d'avril de l'année précédente. J'étais allé chercher Mary chez elle, puis ensuite Nancy et Dodd et, tous les quatre, nous étions allés à une cocktail-party donnée dans un des salons privés du *Locus Ridge Club,* par une dame du gratin de la ville. Mon apparition aux côtés de Mary Olan avait immédiatement convaincu chacun des autres invités de la nécessité de faire ma connaissance et de se souvenir de m'inviter aux festivités à venir.

Nancy était ravissante, dans une robe de cocktail qui était exactement de la coupe et de la teinte qu'il lui fallait — un bleu ardoise qui rehaussait la couleur de ses yeux et faisait ressortir la finesse incroyable de sa peau. Après que l'on m'eut fait rebondir de groupe en groupe avec une précision digne d'une partie de rugby, je m'étais retrouvé dans un coin tranquille avec Nancy.

44

— Cet homme, là-bas, qui confectionne des martinis appartient l'usine de White Sands, dis-je.

Nancy avait les yeux fixés sur Dodd, qui se tenait au milieu d'un groupe, à quelques mètres derrière moi, en compagnie de Mary Olan. Mary, qui riait aux éclats, avait pris le bras de Dodd.

— A votre santé, fit Nancy. Et, en deux gorgées, elle fit disparaître les deux tiers de son cocktail, après quoi elle me tendit son verre.

— S'il vous plaît, Monsieur.

Je lui en apportai un autre. Elle en but la moitié, m'adressa un petit sourire forcé, puis avala l'autre moitié.

— Hé là ! doucement, jeune dame, protestai-je. Ça peut être du poison, à la longue.

— Ha ! Versez-m'en encore, Clint.

— Je ne veux pas être complice d'un suicide, Nancy.

— Alors, j'irai le chercher moi-même.

— Okay, okay.

Ce n'était pas agréable à regarder. Je m'étais demandé si Nancy n'était pas une poivrote. Mais j'avais rapidement rejeté cette hypothèse. Les ivrognesses portent les stigmates de leur vice. Leur teint se couperose, leurs traits s'épaississent et leur voix se voile. Il fallait donc trouver l'explication de cette intempérance soudaine du côté de Mary Olan, dans une aggravation de la tension que j'avais remarquée lors de notre première sortie.

Nous avions dîné tous les quatre en compagnie d'un autre couple. J'étais placé entre Nancy et une petite brune remuante dont le rire perçant faisait visiblement ciller son mari, assis en face d'elle, chaque fois qu'elle partait dans une crise d'hilarité. Nancy s'était arrangée, on ne sait trop comment, pour se faire apporter à table un double-martini. Losque Dodd avait essayé de le lui prendre, elle avait étroitement refermé sa main sur le verre. Elle était parvenue à un état d'hébétude presque total. Après un moment de malaise général, Mary avait commencé à tenir le crachoir. Elle s'y entendait fort bien d'ailleurs. La conversation rebondissait, passait et repassait devant les yeux morts de Nancy Raymond. Bien que Mary n'eût pas cessé de se mettre en quatre pour accaparer mon attention, je m'étais penché vers Nancy à plusieurs reprises pour lui conseiller de manger quelque chose. Mais les plats qu'on avait déposés devant elle avaient été remportés intacts.

Nous en étions au café, lorsqu'elle s'était levée brusquement. Le silence s'était fait autour de la table et Dodd avait repoussé sa chaise à son tour.

— Non, pas toi, avait déclaré Nancy avec une étonnante netteté. Je vais faire un tour. Avec Clint.

Dodd avait acquiescé d'un signe du menton et j'avais suivi Nancy. Elle était sortie avec une dignité rigide, mais à peine nous étions-nous retrouvés dehors qu'elle s'était cramponnée à mon bras de toutes ses forces. Il avait plu peu de temps auparavant et l'herbe était humide. Les étoiles étaient cachées et seules nous éclairaient les lumières du Club.

— Service spécial, dit-elle. Accompagnement de dames saoules.

— Où voulez-vous que je vous accompagne ?

— Ici et là. N'importe où. Hou. Ma tête bourdonne comme une abeille.

Nous nous étions promenés en silence à travers les vastes pelouses qui bordaient les courts de tennis. Elle ne cessait de lever la tête pour inspirer profondément. Au bout d'un moment, elle m'avait dit :

— Asseyons-nous maintenant. Là-bas.

Nous nous étions dirigés vers les bancs qui se trouvaient près des courts. Dans la faible lumière, les filets détendus avaient un air d'abandon désespéré.

Nous nous étions installés côte à côte et j'avais allumé nos cigarettes.

— Clint, n'essayez jamais de... lutter contre une grande tradégie, tradégie... zut, tragédie.

— Je ne crois pas l'avoir encore fait.

— Cette garce d'Olan. Sa mère est devenue folle. Elle avait tué son mari. Dodd m'a tout raconté lorsque nous nous sommes mariés. Il voulait l'épouser. J'ai demandé à Dodd s'il l'aimait toujours. Non, non, non. Histoire de gosses. Bien fini. Sûr. C'est moi qu'il aime. Rien que moi. Nous étions heureux. C'était un bon mariage, Clint. Oui, ça l'était. Et puis il a commencé à se demander s'il ne pouvait pas revenir ici. Sa mère infirme. Des tas de vieux amis. Alors, moi, pauvre idiote, j'ai dit pourquoi pas ? Alors, il y a un an, il a commencé à poser des jalons. A tirer des ficelles. Il s'est bien débrouillé. Nous sommes revenus ici. Warren ! Je hais cette ville. Oh ! comme je la hais. Vous voyez, elle est là, cette garce. Et ce n'est pas fini. Ça ne l'a jamais été. Ni pour elle, ni pour lui. Oh ! je vois le tableau. Elle ne se laissera pas faire. Elle ne cédera pas. Très noble. Il voulait qu'on la voie, c'était pour avoir ses coudées franches en public. Comme ce soir. Où elle peut exercer sa séduction sur lui. Me rendre ridicule. Donner une tape sur la tête de la petite femme. Le ramener à elle simplement pour montrer son pouvoir. Elle a des tas d'argent, mais c'est une petite garce de rien du tout quand même, vous savez ?

— Je ne crois pas que les choses se passent ainsi.

— Ah ! vous ne croyez pas ? Mais qu'est-ce que vous savez, en somme ? Vous, vous êtes le chandelier. Vous ne sortez pas avec elle. Vous n'êtes pour elle qu'un moyen commode de faire du charme à Dodd sous mon nez. Et moi, je ne peux rien faire. Je ne peux pas m'opposer à ce que nous sortions avec vous deux. Ça me rend encore plus ridicule. Il faut que je me taise et que j'accepte. Il faut simplement que j'attende et que j'observe les dégâts. Bonne fille. Bonne vieille Nancy. Clint... Vous pourriez arranger ça. Si seulement elle... Si vous pouviez lui faire... Non, je ne peux pas dire ça. Je ne le dirai pas. Je ne peux pas vous demander de faire quelque chose comme ça.

— Vous voulez qu'on marche encore un peu ?

— C'était si merveilleux. Nous avions toute une bande d'amis. Nous allions partout. Eux n'étaient pas comme ces gens d'ici. Ceux-là, ils parlent de leur travail comme s'il puait. Comme si c'était... un dada. Ce n'est pas la sorte de gens que j'aime. Vous savez quelque chose ? Une chose qu'il ne me laisse raconter à personne d'ici ? Je pouvais la raconter dans les autres villes où nous avons vécu. C'était un grand sujet de plaisanterie. Nous pouvions rire. Ici, il n'y a plus aucun sens de l'humour. Vous savez comment je l'ai connu ? Vous voulez vous tordre de rire ? Eh bien ! je lui nettoyais les dents. J'étais dentiste. Il est revenu tous les jours se faire nettoyer les dents. Il avait les dents les plus propres de toute la région. Il a fallu que je l'épouse avant que je les lui aie usées jusqu'aux gencives. Dans les autres villes, nous pouvions raconter ça. Pas ici. Ici ce serait comme de la crasse. Comme si j'étais quelque chose dont on a honte. Attention, Clint, ce n'est pas quelque chose que vous pouvez faire comme ça. Il faut que vous y réfléchissiez avant. Moi, j'y ai bien réfléchi. Sérieusement. Quel mal y aurait-il à ça ?

Elle avait l'air si désemparé que j'avais eu envie de la prendre dans mes bras. J'en avais envie de toute façon — même ivre, c'était une femme extrêmement désirable. Et j'avais envie aussi de flanquer mon poing dans la figure de Dodd Raymond. Mais ce n'était pas une chose que je pusse dire à Nancy.

Soudain, elle s'était levée et avait murmuré d'une voix blanche :

— Je crois que je vais être malade.

Nous nous étions avancés vers des buissons et je lui avais tenu la tête tout le temps qu'elle avait vomi. Puis j'étais allé chercher des serviettes aux lavabos du Club et les lui avais apportées. Elle s'était essuyée la figure, et au moment où elle se penchait pour tamponner le devant de sa robe, elle avait gémi :

— Oh ! Clint, c'est horrible. Absolument horrible.

— Ça arrive aux gens les plus distingués.

— Je n'ai jamais été très distinguée. Vous êtes gentil, Clint.

— Simplement un ami de la famille.

— Est-ce que vous voudriez faire encore quelque chose pour moi ?

— Bien sûr.

— Reconduisez-moi à la maison. Ne le dites pas à Dodd. Vous lui direz lorsque vous serez de retour. Si vous lui disiez maintenant, il insisterait pour me ramener. Il ne ferait pas de commentaires par la suite, mais il aurait ce fichu regard patient qui voudrait dire que je lui ai gâché sa soirée. Ceci ajouté à quelque chose d'autre, naturellement. Ça vous ennuie ?

— Non. Vous voulez partir tout de suite ?

— S'il vous plaît.

Je l'avais raccompagnée à son domicile. Aucune lumière ne brillait dans la grande maison des Raymond.

— Nous avons installé ma belle-mère au Lac, cet après-midi, expliqua-t-elle. Je n'aurais pas osé rentrer seule si elle avait été là. Elle a fait remarquer qu'elle déménageait plus tôt que d'habitude cette année, puis elle a soupiré et elle a dit que ce serait agréable pour nous, les jeunes, d'être un peu seuls. Et elle a soupiré encore en disant qu'elle espérait qu'il ne ferait pas trop humide au lac, à cette époque de l'année, ni trop froid, parce que ce serait mauvais pour son arthrite. Des soupirs, des soupirs, toujours des soupirs !

Elle m'avait tendu sa clé pour que je lui ouvre la porte, après quoi elle avait manœuvré un commutateur qui avait allumé la lumière dans le long et étroit vestibule.

— Clint, j'ai trop parlé. Beaucoup trop parlé.

— Je ne me rappelle pas un traître mot de ce que vous avez pu me raconter.

— Est-ce que je peux vous dire que vous êtes un chic type ?

— Bien sûr.

— Alors, vous êtes un chic type. Ce que j'ai dit est entre nous. Je suis malheureuse ici et j'ai trop bu et j'ai honte de moi-même. Ce n'est pas ma maison et il semble que ce n'est plus mon mari et, ce soir, je suis devenue comme folle. Mais je ne recommencerai plus. Ce n'est pas comme ça qu'il faut lutter avec cette garce. C'est le meilleur moyen pour lui amener Dodd tout cuit sur un plateau. Je ferai mieux.

— J'en suis sûr, Nancy. C'était une défaillance provisoire. Peut-être nécessaire.

Elle avait souri. — Si je n'étais pas si mal en point, j'aurais aimé être embrassée.

J'avais posé mes mains sur ses épaules et lui avais déposé un baiser sur le front. — Ça va ?

— Ça va très bien, Clint. Au revoir… et merci.

Lorsque j'étais revenu au Club, la danse avait commencé. Mais Dodd ne se trouvait pas sur la piste. J'avais fini par le dénicher au bar. Il était en train de parler avec un petit homme qui ressemblait à un Pékinois chauve. Quand j'eus réussi à saisir son regard, il avait laissé tomber son interlocuteur et s'était avancé vers moi, le verre à la main.

— Où est Nancy ?

— Elle ne se sentait pas bien. Je l'ai raccompagnée.

— Pourquoi ne me l'avez-vous pas dit ? Je l'aurais ramenée.

— Elle a préféré que ce soit ainsi.

— Je ne l'ai encore jamais vu faire ça. Je n'arrive pas à comprendre ce qui lui a pris.

Il me jeta un regard de côté, une lueur soupçonneuse dans les yeux. J'émis un son peu compromettant. Il n'était pas encore temps, pour un nouvel ami de la famille, de dire au mari qu'il savait ce qui clochait avec la femme.

— Est-ce qu'elle vous a dit ce qui la démangeait ?

— Non. Il y a quelque chose ?

— Il faut croire, pour qu'elle se conduise comme ça. Mon Dieu, elle sait pourtant comment est cette ville. Ils vont en faire des gorges chaudes pendant une semaine. Je suppose qu'il faudrait que je rentre. Attendez une minute, nous monterons tous dans votre voiture. Enfin, je peux prendre un taxi.

— Elle avait l'air de préférer que vous restiez, Dodd. Elle a dit qu'elle ne voulait pas gâcher votre soirée.

— Elle ne pourrait pas la gâcher plus qu'elle ne l'a déjà fait. (Il avait vidé son verre et l'avait reposé sur le bar.) Je pourrais aussi bien rester encore un peu, je pense. Je vous offre un pot, Clint ?

— Non, pas maintenant. Merci.

Il avait posé sa main sur mon épaule et m'avait donné deux bonnes bourrades. Or je suis né avec une aversion quasi-maladive pour ce genre de démonstration. Je les endure péniblement, en espérant que l'expression de mon visage ne trahira pas mon dégoût. En outre, il y avait quelque chose de forcé dans son geste. Il m'avait fixé avec intensité :

— Clint, je n'ai jamais eu l'occasion de vous dire ce que ça représentait pour moi d'être venu ici et d'avoir trouvé un type comme vous pour m'aider à mener le boulot à bien.

— Eh bien ! je vous remercie, Dodd.

— Vous ne savez jamais sur quoi vous pouvez tomber dans cette boîte. Un excité de la politique. Ou un artiste à la moumoute huileuse. Croyez-moi, je sais ce que vous valez.

Il avait retiré sa main de mon épaule et l'avait posée sur mon bras. — Nous irons loin tous les deux, dans cette boîte, mon garçon. Après lui avoir répondu que je l'espérais, je l'avais suivi du regard tandis qu'il repartait vers le lieu des réjouissances. De toute évidence, il avait eu assez d'intuition pour sentir que Nancy avait trouvé en moi un allié ; jusqu'à quel point, il n'aurait su le dire. Je ne peux pas dire que sa manœuvre ait été inefficace — venant du patron, les compliments sont toujours bienvenus. Et puis, après tout, c'était quand même un chic type.

Vers minuit, la soirée avait atteint son point culminant. Chaque fois que j'avais aperçu Mary, elle était avec Dodd. J'étais sorti dans le jardin pour prendre un peu l'air. Les nuages s'étaient épaissis, voilant à peu près totalement la lune blafarde. J'avais cherché mon paquet de cigarettes dans ma poche, puis l'ayant trouvé vide, je m'étais souvenu d'en avoir une demi-cartouche dans la boîte à gants de ma voiture. J'avais traversé la pelouse dans la direction du parking.

J'étais arrivé tout près de la Mercury, lorsque j'avais entendu la voix de Mary Olan venant de l'intérieur du véhicule. Son ton était ironique et méprisant :

— Mon cher, disait-elle, vous n'êtes pas dans une position où l'on n'a qu'à lever le petit doigt pour se faire obéir. Aussi, je ne prendrai pas cette clé. Chaque fois que je retournerai là-bas — si jamais j'y retourne — c'est vous qui m'attendrez et non moi qui vous attendrai. Nous ne jouons pas Back Street, mon chou.

— Cette idée de sortir à quatre est tout à fait puérile, répondait la voix basse de Dodd.

— Vous trouvez ? Moi, je sais ce que vous voulez. Vous voulez que je vous attende là-bas chaque fois qu'un caprice vous prendra. Vous ne voulez pas que je sorte. Il se trouve que cette combinaison me plaît. Clint est très gentil. Est-ce qu'il n'a pas été gentil avec votre zozotante Nancy ?

— Auriez-vous le béguin pour lui ? Bon Dieu, si je découvre que vous l'avez laissé coucher avec vous, je l'expédierai si loin d'ici que...

— Jaloux, chéri ? susurra-t-elle.

— Pourquoi ne prenez-vous pas simplement la clé et puis...

— Vous voulez un gâteau pour le manger, un autre pour le regarder et encore un autre pour le mettre dans un placard. Non merci. Je pourrais décider de ne plus jamais vous rendre visite là-bas.

— Mary, écoutez-moi...

— C'est vous qui allez m'écouter. Vous m'assommez. Ce n'était pas dans nos conventions. Je continuerai à sortir avec Clint. Vous continuerez à nous accompagner, avec Nancy. C'est une combinaison commode... Et puis, j'en ai assez de rester assise là comme une collégienne en escapade.

— Mais ce soir, Clint a ramené Nancy à la maison et nous pourrions...

— Nous pourrions, mais nous ne le ferons pas, mon chéri. Pas ce soir. Il faut vous y résigner comme un brave petit homme.

— Mais Mary...

— Et puis, chéri, je n'ai pas aimé cette expression « coucher avec moi ». Les gens ne couchent pas avec moi. C'est moi qui couche avec eux. Maintenant, si vous vouliez bien ôter votre grosse patte de ma poitrine...

Je m'étais vivement reculé dans l'ombre des taillis au moment où la portière s'ouvrait. Mary avait jailli de la voiture. Elle m'aurait vu si elle avait obliqué dans ma direction, mais, heureusement, elle s'était éloignée, ses talons s'enfonçant dans le gravier, vers l'entrée du Club. Lorsque Dodd était sorti à son tour, j'étais mieux caché. Je l'avais vu allumer une cigarette, en tirer trois longues bouffées puis la jeter sur l'herbe humide. A pas lents et lourds, il avait suivi Mary qui trottinait loin devant lui. Lorsque j'avais pris mes cigarettes, j'avais trouvé l'intérieur de ma voiture empli du parfum musqué, entêtant, dont Mary se servait.

Quand je les avais ramenés chez eux, j'avais déposé Dodd en premier. Après que celui-ci fut descendu, Mary ne s'était pas repoussée vers la portière. Elle était restée agréablement contre moi, sa jambe touchant la mienne. Je l'avais reconduite chez les Pryor, là même où j'étais allé la chercher. Bien que la plupart des vieilles familles fussent demeurées dans les rues paisibles et ombragées de la ville, quelques-unes, comme les Pryor, s'étaient installées à la campagne. La propriété était ceinturée d'un mur de pierre et il fallait parcourir une allée de plus de cinq cents mètres avant de parvenir à la maison. Celle-ci était du type que l'on peut qualifier de théâtral. Immenses baies vitrées, murs nus, perspectives calculées. Deux statues d'un style ultramoderne éclairées par des projecteurs en flanquaient l'entrée principale. Bref, c'était ce genre de demeure parfaite où les architectes ont pensé à tout, sauf à la possibilité, pour ses occupants, d'en remanier l'aménagement au gré de leur fantaisie.

Je m'étais rangé dans l'allée et, comme Mary n'avait fait aucun geste vers la poignée de la portière, je m'étais penché vers elle et l'avais embrassée. Elle avait hésité un dixième de seconde puis j'avais senti sa langue tiède s'insérer entre mes dents. Elle apportait à cette occupation une fougue et un enthousiasme avides, joints à la force et à l'endurance d'un Marciano (1). Elle arrêtait toutes les horloges, excepté celle qu'il y a dans le sang, de sorte que, lorsque nos lèvres s'étaient séparées, j'avais été tout surpris de me retrouver tranquillement assis dans ma voiture.

— Vous êtes un agréable monstre, Sewell, murmura-t-elle.

— J'en ai autant à votre service.

— Vous devriez avoir une prime pour vos heures supplémentaires.

— Une remarque bien obscure, dis-je, feignant l'innocence.

— Dommage, Sewell, que je ne sois pas un peu plus charitable et que je ne puisse moi-même constituer une prime convenable, car je crois que vous êtes un chic type qui méritez un meilleur sort que celui qui vous est réservé actuellement.

— Décidément, on m'aura beaucoup dit ce soir que je suis un chic type. Comment dois-je m'y prendre pour éveiller vos instincts charitables, Madame ?

Elle m'avait laissé prendre ses lèvres à nouveau. Dans le même temps, j'avais exploré traditionnellement, plein d'espoir, une poitrine chaude et ferme. Mais, brusquement, elle s'était rejetée en arrière, mettant entre nous vingt froids centimètres de distance.

— Pas à vendre, Sewell.

— Y a-t-il en moi quelque chose que mes meilleurs amis aient négligé de me signaler ?

— Non. Vous êtes un beau spécimen de jeune Américain bien bâti, mon cher.

_____

(1) N. D. E. Célèbre boxeur américain.

— Alors pourquoi ?

— Ne me le demandez pas avec cette moue. Je crois que c'est parce que vous êtes ce que vous êtes. Pour qu'un homme m'intéresse, il faut que ce soit, pour une bonne dose, un salaud.

— Je peux travailler dans ce sens.

— Vous aurez du mal.

— Ne pourriez-vous vous forcer ?

Elle avait levé la main et m'avait tapoté le haut de la tête.

— Ce serait pure charité alors, mon chou, et vous avez trop d'orgueil pour vous contenter de ça, n'est-ce pas ?

— Si je comprends bien, le programme est que nous restions bons amis.

— Sérieusement, Clint, ça me plairait. J'ai besoin d'un bon ami.

J'avais poussé un soupir résigné.

— Okay, que voulez-vous faire demain avec votre bon ami ?

— Viendriez-vous à la messe avec moi, Monsieur ?

C'était la dernière chose à laquelle je m'attendais.

— Oui, bien sûr.

— Bon. Alors venez me chercher à onze heures vingt.

Je l'avais accompagnée jusqu'à sa porte. Elle m'avait souri :

— Vous êtes gentil.

— Allez, laissez tomber. Et embrassez-moi au moins pour me dire au revoir.

Au moment où ce baiser se terminait, j'avais pris ma revanche avec ma main droite. Mary avait protesté et avait tenté de m'échapper. En vain. Lorsque j'avais repris le chemin de mon domicile, je m'étais dit que si elle se regardait dans une glace en rentrant chez elle, elle trouverait sur son épaule une belle empreinte de main bien distincte.

En faisant un retour en arrière, je peux compter une vingtaine de sorties avec elle, y compris la fois du motel et celle de ce dernier samedi soir. Mais non compris cette dernière promenade que nous avions faite ensemble sur les collines. Une promenade dont elle ne risquait pas de revenir.

4

Nancy et moi nous assîmes côte à côte sur le tronc de pin. Depuis le soir où elle s'était enivrée et où elle m'avait vidé son cœur, nous nous étions toujours parlé avec franchise, bien qu'elle n'ait pas perdu toute sa timidité. Cependant, je ne lui avais pas raconté ce que j'avais appris ce soir-là. Ce n'était d'aucune nécessité. Les soupçons pouvaient lui faire du mal mais la certitude lui en aurait fait encore davantage.

— J'espère... j'espère qu'elle ne reviendra jamais, répéta Nancy.

Je ne répondis pas et ces mots pesèrent entre nous jusqu'à ce qu'elle éclate d'un rire sans gaieté.

— Je ne veux pas dire que j'espère qu'il lui est arrivé quelque chose. J'espère simplement qu'elle a trouvé une autre mouche à laquelle elle pourra s'amuser à arracher les ailes.

— Elle est impulsive, dis-je.

— C'est un mot poli. Dites plutôt que c'est une garce. Elle vit aux dépens des gens. Elle a une excuse toute prête — sa mère folle. C'est commode pour elle. Pas de mari, alors elle fait ce qu'il lui plaît. Y compris coucher avec le mien.

— Ça, vous n'en êtes pas sûre.

— Oh si ! Clint, je le suis. Tout à fait sûre. Je me

suis doré la pilule pendant longtemps... Mais on ne peut pas vivre avec un homme et ne pas voir certaines choses. Toutes les petites fausses notes. Cet excès de gentillesse, avec ce sentiment de culpabilité qui se cache derrière. Je sais, Clint. Il y a longtemps que je le sais. Ça a commencé en février, un mois après notre arrivée. Elle n'a pas perdu de temps, n'est-ce pas ?

— Ne vous forcez pas à en rire.

— Ne suis-je pas censée m'en amuser ? Est-ce que cela n'est pas moderne, évolué, raffiné ou tout ce que vous voudrez. Hier soir, lorsque nous sommes rentrés à la maison, nous avons eu une vraie dispute. Il ne voudrait pas le reconnaître, naturellement. Je l'ai questionné au sujet de certaines choses qui manquaient. Sa bonne robe de chambre, quelques chemises de sport, une paire de pantoufles — des petites choses comme ça. Et un livre de poèmes. Des poèmes. Mon Dieu ! Pouvez-vous vous imaginer lisant des poèmes à... à une fille comme ça ? Je lui ai demandé si ça lui soulagerait la conscience que je prenne un amant. Vous voyez, le style vaudeville parisien. En entendant ça, il est parti en claquant les portes et il n'est rentré qu'à cinq heures ce matin. De toute façon, je voulais vous parler, Clint. Je ne l'ai pas encore dit, ni à lui ni à personne d'autre, mais je vais le quitter.

— Vous pensez vraiment ce que vous dites ?

— J'ai de l'amour-propre. Je ne suis pas obligée de supporter cela. Je peux gagner ma vie moi-même. Ça fait mal... ça fait très mal, Clint, lorsque quelqu'un vous fait comprendre, de cette façon-là, que vous n'êtes pas assez désirable pour lui.

— Vous dites des bêtises, Nancy. Cela n'a rien à voir.

— Je sais à quoi m'en tenir, Clint. Je vous ai assez parlé de ma vie personnelle. Est-ce que vous n'en avez pas par-dessus la tête ? Est-ce que vous voulez vraiment tout savoir ? Toute l'histoire ? J'ai deux petites verrues brunes, là, sur la hanche droite. Les tomates me donnent de l'eczéma. Quand je suis contrariée ou que j'ai une émotion, j'ai la diarrhée. Nervosité du colon, ça s'appelle.

» J'ai perdu ma virginité lorsque j'avais seize ans et...

— Nancy !

Sa voix était devenue stridente et sa figure était tendue. Ses traits retrouvèrent un peu de sérénité. Elle appuya sa tête sur ses genoux nus et dit, d'une toute petite voix :

— Excusez-moi, Clint.

Je caressai la longue chevelure soyeuse :

— Ça a été un coup très dur pour vous. Je ne vous blâme pas. Mais promettez-moi seulement une chose. Réfléchissez-y pendant une semaine.

Elle soupira.

— Si vous croyez vraiment que c'est nécessaire.

— Je le crois.

Elle poussa un nouveau soupir.

— Clint ?

— Oui, mon chou.

— Clint, est-ce que vous me désirez ? Sa voix était timide, lointaine.

Je savais pourquoi elle me posait cette question. Je savais combien il me fallait être prudent.

— Oui, naturellement. N'importe quel homme vous dirait oui. Vous êtes une femme adorable, Nancy.

— Non, je ne le suis pas. Mais... pour vous, je le serai. Où voulez-vous, Clint ? Et quand ?

— Je vous désire, mais je ne crois pas que ce serait très malin. Je crois que vous aimez toujours cet animal. Il vous a blessée affreusement. Vous avez besoin d'être rassurée. Vous voulez qu'on vous désire. Et vous voulez lui faire du mal en retour. Je suis votre ami, Nancy. Je ne veux pas être pris au milieu de ce genre de situations. Supposez qu'il se rende compte de sa sottise et qu'il vous revienne. Vous le regretteriez toujours alors. Vous n'avez encore jamais fait quelque chose comme ça, n'est-ce pas ?

— Non. Je... Je ne sais pas ce que je veux faire.

— Réfléchissez-y pendant une semaine. Et alors nous en reparlerons. Okay ?

Elle leva la tête pour me regarder. Ses joues étaient humides.

— Enfin, vous pourriez quand même m'embrasser, dit-elle, presque agressivement.

Aucun bateau ne se trouvait à proximité et l'on ne pouvait pas nous voir de la terrasse du bungalow des Raymond. Je me levai, pris la main de Nancy et attirai la jeune femme contre moi. Notre baiser se prolongea longtemps. Il n'avait rien de l'ardeur avide de ceux de Mary Olan. Les lèvres de Nancy étaient molles, chaudes et très douces. Mais il y avait en elles une fièvre contenue, une sorte de combustion lente qui me fit me demander comment Dodd pouvait être aussi stupide. Lorsque nous nous séparâmes, nous nous sourîmes mutuellement.

— Je crois que c'est une chance pour moi que vous soyez là, dit-elle. Un peu comme une conscience de rechange. Je voudrais bien que ce soit de vous que je sois amoureuse. Ce serait plus facile. Et mieux aussi.

— Vous êtes une femme extraordinaire, Nancy.

— Il faut bien qu'il y ait quelqu'un pour le croire. Maintenant, je pense que nous ferions mieux de rentrer.

Nous regrimpâmes l'escalier. Comme je m'y attendais, Mme Raymond m'inspecta rapidement du regard, en quête de traces de rouge à lèvres. Mais

Nancy les avait fait disparaître à l'aide d'un mouchoir en papier. Je pris congé aussitôt que je le pus.

Ce fut pénible pour moi de me retrouver sur la route des collines, non loin de l'endroit où j'avais abandonné le corps de Mary. Bientôt la nuit allait tomber, faisant sortir des broussailles une foule de petits animaux, humectant de rosée la jupe blanche et les épaules nues. J'aurais voulu pouvoir la laisser dans un endroit sec et chaud. Ça ne pouvait pas avoir d'importance pour elle, je le savais, mais ça en avait pour moi. Ça m'aurait semblé plus correct.

J'allai manger un morceau en ville et, lorsque je repris le chemin de mon domicile, il faisait déjà sombre. A peine venais-je d'arrêter mon moteur que Mme Speers leva sa vitre et m'appela.

— Est-ce que Mary Olan a réapparu, Mr. Sewell ? demanda-t-elle.

— Non, pas encore, Mme Speers.

— Ils doivent commencer à être très inquiets maintenant.

— Je le suppose.

— Vous n'oublierez pas mes ordures demain, n'est-ce pas ?

— Je m'en souviendrai, Mme Speers.

— Je devine que vous allez vous mettre au lit tout de suite, non ?

— Qu'est-ce qui vous fait dire ça ?

Elle se mit à rire :

— Eh bien ! vous savez, je vous ai entendu rentrer à quatre heures, ce matin.

— J'étais là à deux heures, Mme Speers.

Elle rit de nouveau :

— Vous, les jeunes, vous perdez toute notion du temps.

— Je sais qu'il n'était pas si tard.

— Bonne nuit, Mr. Sewell.

Là-dessus, elle rebaissa sa vitre.

Une fois chez moi, je refermai ma porte à clé, allumai les lumières et tirai les stores. C'était si bon de se retrouver seul dans un endroit bien clos. J'avais l'impression de pouvoir enfin penser clairement et sainement. Toute la journée, je n'avais cessé de jouer un rôle. Ça n'avait pas laissé de place à la réflexion. Je m'étais promené parmi les gens de la plage, me contraignant à sourire, tendant à la ronde une main qui avait porté un cadavre. Cela me donna une idée du degré de maîtrise de soi que devait posséder un assassin.

Durant la journée, j'avais appris deux faits nouveaux : *Primo :* Dodd Raymond s'était trouvé hors de chez lui jusqu'à cinq heures du matin. Secundo : à quatre heures, une voiture s'était rangée dans mon allée. Vraisemblablement, Mme Speers, qui dormait lorsque j'étais rentré, avait entendu arriver ce second véhicule, puis s'était rendormie, ne l'entendant pas repartir.

Il me fallait considérer Dodd comme le suspect N° 1. Je savais qu'il avait une liaison avec Mary Olan. Et je savais aussi que Mary était cruelle, méprisante, impitoyable et se refusait par caprice. Je pouvais imaginer Dodd, devenu fou furieux, l'étranglant au paroxysme de sa colère. Peut-être lui avait-elle montré la clé que je lui avais donnée, invoquant, pour expliquer mon geste, une raison qui n'existait pas. Oui, il pouvait l'avoir tuée dans une crise de jalousie soudaine. Puis, sachant que j'avais le sommeil lourd, il pouvait très bien s'être servi de ma clé pour déposer le cadavre chez moi. Il ne l'aurait pas fait spécialement par rancune envers moi — bien que ce mobile eût tout de même compté pour une part — mais simplement parce que c'était le meilleur moyen de détourner les soupçons.

Donc, si Mary avait porté sur sa gorge les marques de la main de l'étrangleur, je n'aurais eu aucun doute que ce fût Dodd l'assassin. Mais le fait que ce fût ma ceinture rouge qui ait servi d'arme au meurtrier démontrait sans conteste que Mary avait été tuée chez moi. Je ne pouvais pas voir Dodd, intelligent et ambitieux comme il l'était, préméditant un plan qui aurait présenté tellement d'aléas. Si encore j'avais représenté une sérieuse menace pour sa carrière, cette hypothèse aurait pu être plausible. Toutefois, je devais songer que l'ambition est une maladie qui peut déformer les faits. Peut-être Dodd croyait-il, après tout, que je mettais sa carrière en péril.

Ses inquiétudes au sujet de Mary avaient paru sincères. Encore que ce que Ray et Tory m'avaient dit tendît à indiquer que c'était un bon comédien. Bien sûr, sa liaison elle-même pouvait nuire à son avancement. Mais bien des hommes ambitieux avaient été, avant lui, aveuglés par le démon de la chair.

A l'instar de beaucoup de devinettes, celle-ci aboutissait à une impasse. Dodd pouvait avoir tué Mary comme il pouvait ne pas l'avoir tuée. Je demeurai un moment aux prises avec ces deux hypothèses, puis mon esprit se rebella à l'image de Dodd amenant Mary dans mon appartement, choisissant la ceinture rouge et la lui nouant autour du cou.

A bout de nerfs, je me mis au lit. J'eus un sommeil agité. Je rêvai que je me trouvais parmi une foule de gens qui entouraient un cercueil. Dans ce cercueil, Mary était assise, nue, la ceinture enroulée autour du cou. Tout le monde me regardait. J'expliquais à la ronde que ce n'était qu'un réflexe musculaire qui l'avait fait asseoir. Comme pour me démentir, elle se levait brusquement et s'avançait vers moi. Nous nous mettions à danser ; tandis que les autres battaient lentement la mesure en frappant dans leurs mains. Je ne cessais de murmurer à l'oreille de Mary qu'elle devrait revenir dans son cercueil.

Echec aux dames.   3.

Tout en dansant, je gardais les yeux fixés sur sa poitrine nue. Au-dessus de la naissance des seins, figurait l'inscription C.P.P. Ce n'était pas un tatouage, mais des lettres brillantes et en relief comme on en trouve sur les cartes de visite coûteuses. Mary me disait que c'était Dodd qui l'avait ainsi marquée, et sa bouche hideusement déformée souriait. Elle m'entraînait, toujours en dansant, vers le cercueil et je voyais alors pourquoi elle ne pouvait pas y reprendre place. Nancy y était étendue, nue également, le corps recouvert d'une pellicule d'or. Au milieu de son ventre, rampait une énorme araignée velue aux yeux phosphorescents. Je m'éveillai, en proie à une terreur enfantine et compris, par l'écho qui semblait résonner encore dans la pièce, que j'avais crié. Il me fallut longtemps pour me rendormir.

**

Le lendemain matin à huit heures vingt-cinq, je me rangeai dans la cour de l'usine, sous la petite pancarte blanche où figurait la mention : Mr. SE-WELL. C'est avec de semblables petites attentions que l'on achète l'âme de ses employés. Mon bureau, ménagé dans l'espace réservé aux ingénieurs et au bureau d'études, se situe sur ce qu'on pourrait appeler une mezzanine, laquelle surplombe les ateliers de production. Le mur extérieur de la pièce est coupé à mi-hauteur et remplacé, dans sa moitié supérieure, par une cloison vitrée. Au-delà de ce mur, court un étroit passage de ciment muni d'une rampe et terminé, à chacune de ses extrémités, par un escalier de fer.

J'aime arriver à l'usine de bonne heure. J'aime m'accouder à la rampe et contempler pendant quelques minutes le vaste atelier silencieux. C'est un endroit où il est agréable de travailler : propre, bien éclairé, avec air conditionné. Les relations avec les ouvriers sont bonnes. La C.P.P. est un tantinet paternaliste, mais pas au point que le prolétaire souhaite qu'on fasse l'économie de ce confort coûteux et qu'on lui mette la différence dans la poche. Après ma séance d'observation quotidienne, je gagnai mon bureau. La pièce est insonorisée mais, une fois que la porte en est fermée, le grondement de l'atelier vous donne l'impression de vous trouver à bord d'un transatlantique. Des gens vont et viennent chez moi à longueur de journée. Chaque fois que le battant s'ouvre, le vacarme est effroyable.

J'avais acheté un journal, sur le chemin de l'usine, et n'avais eu le temps que de jeter un coup d'œil à la manchette qui s'étalait, en caractères gras, à la première page : DISPARITION DE MISS OLAN. L'information éclipsait le compte rendu d'une conférence internationale à Paris. Je n'aurais pas cru que Mary Olan fut quelqu'un d'aussi important.

Juste au-dessous de la manchette, il y avait un sous-titre :

On a trouvé près de Highland sa voiture abandonnée.

Voici ce que disait l'article :
Mary Olan, nièce de Mr. et Mme Willis Pryor et héritière de la fortune de Rolph Olan, a disparu depuis samedi soir et la police locale n'en a, jusqu'à présent, retrouvé aucune trace. Par contre, on a trouvé hier, près d'une ferme abandonnée de la région de Highland, une voiture noire décapotable qui a été identifiée comme appartenant à Miss Olan. Des recherches ont été immédiatement entreprises dans les parages.

Miss Olan a quitté la maison des Pryor, samedi à midi, seule. Elle a déjeuné au *Locus Ridge Club* et durant l'après-midi, elle a joué au golf en compagnie de Miss Neale Bettiger. Elle avait emmené avec elle des vêtements de rechange et s'était habillée sur place pour dîner avec des amis. Elle a quitté le Club à minuit, avec l'intention bien établie de rentrer chez elle.

La police n'a pas écarté la possibilité d'un kidnapping et la maison des Pryor est actuellement l'objet d'une étroite surveillance.

Miss Olan, lorsqu'on l'a vue pour la dernière fois, portait une jupe blanche accompagnée d'un bustier de lamé et des chaussures de chevreau doré. Elle est brune, avec des yeux gris et mesure un mètre soixante. Elle pèse environ cinquante-cinq kilos.

Miss Mary Olan est la petite fille de Thomas Burke Olan, le fondateur de la Warren Citizens Bank et de la Trust Company and Olan Tool and Die, devenue maintenant la Federated Tool Company, Incorporated.

Elle est née à Warren, dans l'ancienne maison des Olan qui est à présent le siège de la Heart of America Historical Association, à laquelle Mr. Rolph Olan l'a léguée par testament. Miss Olan a fait ses études dans des écoles privées d'ici et d'ailleurs et est revenue se fixer dans notre ville, il y a quatre ans.

C'était bien le style feutré familier de Warren. Pas d'allusion au drame de la famille. Pas de mention du mariage avorté de Mary. Pas de trace de la maladie incurable de sa mère. On avait même poussé la délicatesse jusqu'à lui faire quitter le club à une heure décente. J'étais heureux que les policiers aient eu apparemment le bon goût de garder pour eux le nom de son compagnon de sortie. Sinon, j'aurais eu un ou deux reporters pendus à mes basques. Quoique après tout, les journaux de Warren eussent peut-être pensé que c'était un manque de tact que d'importuner les gens dans de telles circonstances.

Le canard publiait une photo de Mary. Cela me chavira de la regarder. Elle avait été prise quelques années auparavant, avant que la vie lui ait donné cette expression dure et moqueuse. Elle paraissait jeune, très sérieuse.

A neuf heures moins le quart, ma secrétaire arriva. Elle s'appelle Antonia Mac Rae. C'est un joli petit bout de femme qui décore et complète agréablement un bureau. L'Italien et l'Ecossais se combinent en elle pour lui conférer une personnalité peu commune. Sa mère lui a donné sa peau mate et ses cheveux noirs, ainsi que sa figure ronde, prometteuse d'aimable lascivité. Mais, de son père, elle a hérité un œil froid et rusé, une bonne dose de scepticisme et un cerveau qui fonctionne comme un ordinateur. Elle portait ce matin-là un fin pull-over bleu pardessus son corsage blanc. Avec ses cheveux aile-de-corbeau et ses dents ultra-blanches, l'effet était très réussi. Le pull collait étroitement à sa silhouette, de sorte que, si je n'avais pas eu Mary en tête, j'aurais été quelque peu distrait.

Dès le premier jour où Toni Mac Rae avait travaillé avec moi, elle avait éveillé en moi un vif intérêt. Mon admiration ne s'était pas ralentie. Toni en était consciente et certains de mes regards provoquaient souvent chez elle de brusques changements de position. La semaine qui avait suivi son arrivée, j'avais risqué une attaque directe. Toni l'avait repoussée avec une indiscutable fermeté, mais sans colère. Elle avait simplement mis les choses au point. D'autres filles, dans les mêmes circonstances, parfaitement averties de leur sex-appeal et de l'intérêt du patron à leur égard, auraient fait assaut de coquetterie. Pas Toni. Au contraire, elle s'habillait et se comportait en général de façon à minimiser la tension du bureau.

— Bonjour, dit-elle tout en rangeant son sac dans le tiroir de sa table.

— Bonjour. Je suis en train de lire ce qu'on raconte à propos de la disparition de Mary.

— Vous êtes l'une des personnes avec qui elle a dîné samedi, n'est-ce pas ? Je vous ai entendu parler de cette sortie avec Mr. Raymond, vendredi matin.

— Oui, effectivement. Nous avons dîné ensemble.

— C'est curieux, fit-elle, en fronçant pensivement les sourcils. Comme elle se rejetait en arrière dans son siège, les doigts noués sous le menton et les coudes en dehors, je dus fixer le devant de son pull-over avec une intensité excessive, car elle baissa précipitamment les bras et se pencha aussitôt après sur sa machine à écrire.

Je pouvais entendre l'usine s'éveiller peu à peu à la vie. Quelques machines se mirent en marche puis, sur le coup de neuf heures, chacun ayant rejoint son poste, ce fut le départ pour une nouvelle journée de travail. Gus Kruslov, le chef d'atelier, fut mon premier client.

— J'arrive pas à trouver un seul type à mettre sur le numéro 3000, grogna-t-il.

— Vous n'avez qu'à prendre King.

— Il va gueuler comme un âne.

— Mettez-le sur cette machine. Et donnez-lui carte blanche. Tout à l'heure, je descendrai et je lui parlerai.

À peine Kruslov était-il sorti que Ratcher, le chef du bureau d'études, entrait pour me soumettre un plan qu'un de ses jeunes assistants avait pondu pendant le week-end. Le plan paraissait bon et, après avoir félicité le petit génie qui en était l'auteur, je descendis pour en discuter avec les ingénieurs.

La journée se poursuivait selon son rythme habituel. Vers onze heures, Dodd Raymond pénétra dans mon bureau. Il jeta un coup d'œil significatif dans la direction de Toni Mac Rae et je demandai à celle-ci d'aller me chercher cette fameuse liste des machines-outils. C'était un code entre nous qui signifiait qu'elle pouvait aller se remettre un peu de poudre sur le nez.

Dodd posa une cuisse sur le coin de mon bureau et commença par allumer et éteindre ma lampe plusieurs fois de suite.

— Ils ne savent toujours rien, dit-il enfin. Je viens juste d'avoir Sutton au téléphone.

— Et qui est le sieur Sutton ?

— Le chef de la police. Ils ne peuvent pas encore faire appel au F.B.I. (1), mais ça ne va plus tarder maintenant. (Il me regarda bien en face.) Clint, est-ce que vous croyez qu'elle aurait pu faire ça par jeu ? Pour nous faire marcher. Comme une sorte de farce.

— Cela ne me semble guère raisonnable.

— Clint, je sais que ça ne me regarde pas, mais est-ce que... vous étiez intime avec elle ?

A mon tour, je le regardai droit dans les yeux. Puis je souris.

— Je crois que c'est exact.

— Qu'est-ce qui est exact ?

— Que ça ne vous regarde pas.

Il eut le bon goût de rougir. Sautant à bas de mon bureau, il se dirigea vers la porte.

— Bon, eh bien ! peut-être à tout à l'heure.

— Peut-être.

Il sortit. Cela me déplaisait qu'il fût assez retors pour se servir du prétexte de la disparition de Mary aux fins de savoir si celle-ci l'avait trompé. Cela me

_____

(1) N. D. T. Dans une affaire de kidnapping ou de kidnapping supposé, la police locale doit, après un laps de quarante-huit heures, faire appel aux services du F.B.I. avec lequel elle travaillera en collaboration.

déplaisait et, cependant, cela me donnait quelques doutes quant à l'exactitude des conjectures que j'avais élaborées la veille à son sujet. S'il savait que Mary était morte, pour l'avoir tuée lui-même, il ne se serait guère soucié de ses possibles infidélités. Quoi qu'il en fût, Mary, de toute évidence, lui avait donné pas mal de fil à retordre et je n'en étais pas autrement mécontent.

A deux heures passées, comme je revenais juste de déjeuner, Harvey Wills, le directeur de l'usine, me téléphona.

— Clint, je viens de recevoir un coup de fil de Mr. Willis Pryor. Il y a une petite réunion chez lui, cet après-midi, à cause de cette Mary Olan. On veut que vous et Dodd y assistiez. Dodd est déjà parti. Tout d'abord, je ne voulais pas que vous y alliez ni l'un ni l'autre, mais Mr. Pryor m'a fait comprendre qu'il pourrait m'en cuire d'une façon ou d'une autre si je ne coopérais pas.

— Diable !

— Vous êtes débordé ?

— J'en ai jusque-là. Enfin, je crois que je vais pouvoir m'arranger.

J'expliquai la situation à Toni et lui demandai si cela ne l'ennuierait pas de rester après cinq heures, au cas où je ne serais pas encore revenu à ce moment-là. Elle me répondit que je pouvais compter sur elle et je lui laissai quelques instructions dont elle prit note. Quand elle eut reposé son bloc, elle me regarda, le visage grave :

— Clint, est-ce qu'elle compte beaucoup pour vous ?

Elle m'appelle Clint lorsque nous sommes seuls, mais jamais autrement que Mr. Sewell lorsque quelqu'un d'autre est là. Après m'avoir posé cette question, elle rougit et détourna les yeux.

— Non, pas beaucoup, Toni. C'est une enfant

gâtée. Elle croit qu'elle est mieux que tout le monde. Mais... il faut bien avoir quelque chose à faire, le soir.

— Je n'aurais pas dû vous demander ça. Mais vous étiez si... si bizarre ce matin. Comme si vous étiez très... très ennuyé.

— Je crois que je le suis.

Mais je me gardai bien de lui dire pourquoi.

Lorsque je me mis en route pour la maison des Pryor, le temps était toujours maussade. Le ciel était sombre et je me demandai s'il pleuvait sur les collines. Il m'apparut soudain que j'avais peut-être trop bien choisi l'endroit où j'avais déposé le corps de Mary et qu'il pourrait peut-être s'écouler un an avant qu'on ne découvre son cadavre. Un corps qui ne serait plus qu'un squelette jauni, avec des cheveux noirs collés à de la peau desséchée. Si personne ne la trouvait, je savais que pendant longtemps, très longtemps, mes nuits seraient peuplées de cauchemars.

5

Bien que l'assemblée fût beaucoup plus nombreuse que je ne l'escomptais — onze personnes se trouvaient déjà réunies lorsque j'entrai — celle-ci semblait écrasée par l'immense living-room. Willis Pryor s'avança pour m'accueillir. C'est un homme de taille moyenne, râblé et puissant. Il est aussi brun de peau qu'un Polynésien, avec une lourde masse de cheveux neigeux et d'épais sourcils blancs. Sa tenue favorite se compose d'une culotte de drap, de bottes de cheval et d'une chemise de coton qu'il porte déboutonnée jusqu'à la ceinture et les manches retroussées. Je crois qu'il n'a jamais eu à travailler un seul jour dans toute son existence, mais c'est lui qui se charge de toutes les besognes manuelles de la ferme Pryor. Vous sentez que s'il avait été obligé de gagner sa vie et qu'il ait commencé avec rien, il serait tout de même arrivé exactement là où il est et serait exactement ce qu'il est. C'est un brillant causeur, à la personnalité quelquefois extravagante.

Sa femme, Myrna, m'adressa un sourire un peu timide. C'est une créature dont il n'y avait pas grand-chose à dire sinon qu'elle est ronde et bien en chair. Elle a donné trois filles à Willy et là semble se borner sa participation à la vie. Aucun csthéticien, aucun couturier ne pourrait faire de Myrna autre chose que ce qu'elle est — une fermière de la région de Highland. Mais peut-être était-ce justement le genre de femme qu'il fallait à Willy.

Je répondis au sourire de Myrna puis saluai Dodd et Nancy. Ils étaient assis côte à côte sur un siège mi-fauteuil mi-canapé — quelque chose qui ressemblait à une table basse rembourrée, munie d'un dossier de quinze centimètres de hauteur.

Parmi les autres personnes présentes dans la pièce, la seule que je connaisse de vue était le policier en civil qui, en compagnie de son collègue en uniforme, était venu chez moi le samedi matin.

Avec clarté et précision, Willy fit les présentations. La blonde aux grandes mains qui avait l'air d'avoir été mise à sécher au soleil sur une claie, était Neale Bettiger, la partenaire de golf de Mary. Le gros homme impassible à l'œil endormi était le capitaine Joseph Kruslov, chargé de l'affaire. Je lui demandai s'il était parent avec le Kruslov de l'usine.

— Son frère, répondit-il laconiquement.

Le grand type maigre, à l'aspect maladif, n'était autre que M. Stine, le préfet en personne. Le flic en civil s'appelait Hilver. Quant à Sutton, le chef de la police, c'était un petit bonhomme rondouillard et asthmatique qui parlait en sifflant. Willy passa rapidement devant un sténographe de la police, inconfortablement assis à une table d'angle et me présenta à un type insignifiant qui était installé à côté de lui. A première vue, il ressemblait à un quelconque employé de banque, mais ensuite, on remarquait le pli sardonique de sa bouche, la vivacité de son regard et la surprenante épaisseur de ses poignets.

— Voici Mr. Paul France, énonça Willy. C'est un détective privé que, avec la permission de Mr. Stine, j'ai prié d'assister à cette réunion.

Le maître des lieux m'indiqua une chaise à côté de

la blonde desséchée, puis il se frotta les mains l'une contre l'autre et dit :

— Eh bien, Chef, je crois que nous allons pouvoir commencer.

— Le capitaine Kruslov va poser quelques questions, annonça le chef de la police.

Kruslov vint se planter au milieu de la pièce.

— Nous vous avons réunis, Mesdames et Messieurs, commença-t-il, pour voir si nous pouvons obtenir une quelconque indication qui nous a échappé jusqu'à présent. Ce qui nous intéresse surtout, c'est de savoir si l'un de vous a vu quelqu'un rôder autour de Miss Olan, se comporter bizarrement ou quelque chose comme ça. Nous aborderons cette question en premier. Miss Bettson ?

— Bettiger, rectifia la blonde. Non, je n'ai rien vu de ce genre. Mary et moi, nous avons fait vingt-sept trous au golf. A la fin du dix-huitième, nous nous trouvions à score égal, aussi en avons-nous fait neuf autres. C'est moi qui ai gagné. Je n'ai rien remarqué d'anormal.

— Comment se comportait-elle ? Comme d'habitude ?

— Oh oui ! Nous avons bavardé, plaisanté, papoté. Elle était en pleine forme. Personne ne nous épiait, si c'est ça que vous voulez dire.

— Maintenant, voulez-vous répéter devant le chef et les personnes présentes ce que vous avez dit ce matin au sergent Hilver.

Miss Bettiger parut mal à l'aise.

— Eh bien ! c'est-à-dire que je ne crois pas que ce soit important. C'était juste du bavardage.

— Allez-y, s'il vous plaît.

— Nous parlions des hommes. Cela nous arrive souvent. Trop peut-être, je pense. Mary riait de ce qu'elle appelait sa « garçonnière de réserve ». Elle disait qu'il y avait un homme qui était en train de jouer le grand jeu et qui continuait à essayer de lui donner la clé d'un appartement qu'il avait loué quelque part en ville. Elle disait que si jamais elle avait envie de se cacher, ce serait là qu'elle irait, parce que l'homme n'oserait jamais la mettre dehors.

— Vous a-t-elle dit le nom de cet homme?

Je me gardai de regarder du côté de Dodd et de Nancy. J'avais peur de ce que j'aurais pu lire sur leurs figures.

— Non, répondit Miss Bettiger. Elle ne m'a pas dit comment il s'appelait. Elle m'a simplement dit qu'il était marié. Ce détail l'amusait beaucoup.

Kruslov se tourna vers Willy Pryor.

— Mr. Pryor, croyez-vous que Miss Olan pourrait être dans cet appartement, ou cette chambre, ou cette maison dont elle a parlé à Miss Bettson.

— Bettiger, corrigea la fille.

— Excusez-moi. Miss Bettiger.

— Je considère qu'il est proprement injurieux, s'indigna l'oncle Willy, de suggérer une chose pareille. Mary est une bonne petite. Elle est capricieuse et fantasque, mais foncièrement bonne. Elle ne se prêterait pas à une combinaison de cette sorte. Si elle le faisait... je la jetterais dehors. J'ai trois filles à élever ici.

— Je persiste à croire que nous devons envisager cette possibilité, s'entêta le capitaine Kruslov. Maintenant, Mr. et Mᵐᵉ Raymond. Avez-vous remarqué quelque chose de suspect dans la soirée de samedi?

Dodd et Nancy se concertèrent du regard, et cette dernière fit signe à son mari de répondre.

— Non, dit Dodd. Ce fut une soirée parfaitement banale.

— Miss Olan avait-elle trop bu?

— Je... eh bien! oui. En toute franchise, je dois dire que oui.

— Est-ce qu'il était dans ses habitudes de trop boire ?

— Non.

— Pourquoi s'est-elle enivrée samedi soir ?

— Je ne pense pas qu'elle en ait eu l'intention. Je crois qu'elle l'a fait sans s'en rendre compte. Sa partie de golf lui avait donné soif et elle a dû commander quelques grands verres à la file.

— Avez-vous assisté à sa dispute avec Mr. Sewell ?

— Oui.

— Voudriez-vous nous en parler ?

— Certainement. Clint essayait de la raisonner. Il voulait qu'elle s'arrête de boire. Elle l'a pris très mal, mais Clint ne s'est pas laissé impressionner. Il a continué à la sermonner et, à la fin, après lui avoir fait une petite scène au bar, elle s'est laissée emmener par lui. Ce n'est vraiment pas quelque chose d'important.

— Une femme ivre est une chose abjecte, décréta Willy sévèrement. C'est toujours important.

— Je veux dire que la dispute n'était pas importante, Mr. Pryor.

— Avez-vous, vous ou votre femme, remarqué quelqu'un qui rôdait autour de Miss Olan, ou vu quelque chose qui vous a paru bizarre sur le moment ?

— Non, Monsieur. Je crois que nous sommes partis quelques minutes avant que Mr. Sewell emmène Miss Olan. Il avait décidé de la reconduire chez elle, puis de prendre ensuite un taxi pour rentrer. Mais par la suite, il m'a dit que...

— Ne vous occupez pas de ça. Alors, vous n'avez rien vu d'anormal ?

— Non, Monsieur.

Kruslov se tourna vers moi et me regarda avec plus d'intensité qu'il n'avait regardé les autres. Je lui racontai exactement la même histoire que j'avais servie aux deux flics. Par deux fois, il me reprit. Ses manières ne me plaisaient pas précisément. Je me demandai s'il n'était pas en train de me faire payer les fois où j'avais engueulé son frère.

— Ainsi, fit-il, vous vous êtes couché aussitôt après que Miss Olan vous eut quitté ?

— Je vous l'ai déjà dit.

— Quelle heure était-il ?

— Deux heures et demie. Quelque chose comme ça.

— Vous vous êtes endormi tout de suite ?

— Oui. J'étais fatigué.

— Votre logeuse dit que vous n'êtes pas rentré avant quatre heures.

— Vraiment ? Je n'y peux rien. Je suis rentré à deux heures et demie et il ne pouvait pas être plus de deux heures trente-cinq lorsque je me suis endormi. Elle a dû se tromper.

— Elle est certaine d'avoir entendu votre voiture arriver à quatre heures.

— Capitaine, j'ai le sommeil très lourd. Le sergent Hilver ici présent peut le vérifier. Il est tout à fait possible qu'un de mes amis, un peu éméché, soit venu me voir à quatre heures, n'ait pas réussi à m'éveiller et soit reparti.

Il laissa tomber le sujet et en revint aux questions qu'il avait posées aux autres.

— Avez-vous remarqué quelque chose de suspect ? Une voiture vous a-t-elle suivi ? Quelque chose comme ça ?

— Non, je n'ai pas...

— Qu'est-ce qu'il y a ?

— Je viens juste de me rappeler quelque chose. Mary et moi, nous sommes restés quelques minutes dans la voiture à bavarder. Une automobile est alors arrivée dans mon allée, a fait demi-tour et est repartie.

Kruslov émit un grognement de satisfaction.

— Voilà un fait nouveau. Cela peut vouloir dire quelque chose. Est-ce que les phares de la voiture se sont braqués sur vous ?

— Oui. La capote était baissée et, même si je ne devrais pas vous le dire, Capitaine, j'étais en train d'embrasser Miss Olan lorsque nous avons été illuminés.

— Etes-vous amoureux d'elle ?

— Je ne pourrais pas dire cela. Je l'embrassais pour lui dire au revoir. Maintenant, puisque nous y sommes, j'ajouterai quelque chose. Nous avions pris rendez-vous pour aller ensemble au lac hier dimanche. Elle devait venir me chercher à midi. Comme je jugeais tout à fait possible que je ne l'entende pas sonner, je lui avais donné une clé. Ainsi elle serait entrée et m'aurait tiré du lit, de sorte que nous n'aurions pas perdu de temps. Mais je vous assure bien, Capitaine, que cette clé n'était pas celle de la garçonnière dont elle a parlé à Miss Bettiger. Je n'avais pas de vues semblables sur Miss Olan. Non, je m'explique mal. J'avais des vues sur elle ; je suis un homme normal. Mais celles-ci n'impliquaient pas une mise en ménage de ce genre très spécial.

A ce moment-là, le téléphone, placé sur le bureau d'angle, sonna. Le sténographe de la police s'en empara timidement, puis prononça quelques mots dans le récepteur, d'une voix imperceptible. Enfin, il tendit l'appareil à Kruslov.

— C'est pour vous, Capitaine.

Kruslov s'avança d'un pas lourd et prit le combiné.

— Allô. Oui… ? Oui ?… Je vois… Où… ? Non, ça va… Oui, je vais leur dire.

Il raccrocha. C'était un homme qui avait le sens de

l'effet dramatique. Il revint se planter au milieu de la pièce et annonça.

— On l'a trouvée.

— Elle est saine et sauve ? demanda l'oncle Willy.

— Elle est morte. Etranglée. Probablement dans la nuit de samedi. Son corps était dans les broussailles, là-haut sur les collines, à un kilomètre environ de la grand-route. Sacrée histoire. Un groupe de girls-scouts qui faisaient une excursion par là hier après-midi. Une petite fille qui s'était écartée des autres a trouvé le cadavre et a été tellement effrayée qu'elle n'a osé le raconter à personne. Mais aujourd'hui, elle était si bizarre que, finalement, sa mère a réussi à la faire parler, ensuite de quoi elle l'a emmenée là-bas pour lui montrer que ce n'était qu'un produit de son imagination. Mais ça n'en était pas un. La mère a aussitôt alerté la police.

Dans le silence qui s'éternisait, Willy murmura :

— Oh ! mon Dieu.

Myrna se cacha la figure dans les mains. Ses épaules se secouaient doucement. Je regardai du côté des Raymond. Nancy gardait la tête haute, le visage presque sans expression. Quant à Dodd, courbé en avant, il fixait ses larges poings fermés comme si ceux-ci avaient retenu une petite chose captive.

Stine prit le premier la parole.

— Willy, déclara-t-il d'une voix ferme, je vais vous dire quelque chose. Je vais vous le dire une fois pour toutes. Et Jud Sutton me soutiendra, je le sais. Aucun des hommes affectés à cette affaire ne connaîtra une nuit complète de repos, tant que nous n'aurons pas mis la main sur le ou les individus qui ont fait ça.

— Je vous en suis reconnaissant, Tom, remercia Willy d'une voix éteinte.

Kruslov détendit l'atmosphère avec brutalité.

— Eh bien ! dit-il, nous devons, à partir de maintenant, oublier l'hypothèse du kidnapping. Réfléchissons ensemble et essayons de trouver qui peut avoir tué cette fille. Qui la détestait ?

Chose curieuse, ce fut Miss Bettiger qui répondit.

— Je crois que moi, ou n'importe quelle personne qui connaissait un peu Mary, pourrait dresser une liste des gens qui ne l'aimaient pas. Elle n'essayait pas de se faire des amis. Bien sûr, elle fréquentait des tas de gens, mais elle en snobait des tas d'autres. Des parasites, pour la plupart. Des gens qui voulaient être vus avec elle et qui la tapaient. Elle avait de gros revenus et...

— A combien se montaient ces revenus ? s'informa Kruslov.

Willy se chargea de répondre.

— Cent mille dollars par an. Mais elle ne jetait pas son argent par les fenêtres. Elles avait son propre programme d'investissements. Elle tenait de son père le sens des affaires. Elle tirait de bons revenus de ses placements et les réinvestissait également.

— Qui hérite de tout ça maintenant ? demanda Kruslov.

Je comprenais à présent pourquoi Stine et Sutton avait fait venir le capitaine avec eux. Celui-ci pouvait poser les questions gênantes que leurs relations amicales avec Pryor les empêchaient de formuler.

Willy regarda Kruslov avec surprise.

— Je pense que ce que l'Etat ne prendra pas restera dans la famille. C'est nous qui hériterons. Si je me souviens bien des termes du testament de Rolph, les actions devaient aller à Nadine, John et Mary. Je crois que Rolph avait envisagé toutes les éventualités car, en cas de décès de l'un d'eux — les enfants sans postérité — Myrna et moi, ou nos enfants, étions nommés légataires résiduels.

— Comment se fait-il qu'il n'ait pas voulu tout laisser à ses enfants, au survivant du moins ?

Le visage de Willy se durcit.

— Je n'ai pas la moindre idée de ce qui se passait dans sa tête, mon brave homme. Peut-être s'est-il souvenu, lorsqu'il a fait son testament, qu'il avait épousé l'argent des Pryor à une époque où il en avait le plus grand besoin pour sauver les intérêts des Olan. Peut-être a-t-il senti qu'il était plus correct, après avoir substantiellement assuré l'avenir de sa femme et de ses enfants, de veiller à ce que, en cas de décès de l'un d'eux, une part de l'argent revienne à la famille Pryor. C'est la Citizens Bank and Trust qui agit comme exécuteur testamentaire. Si vous faites une enquête auprès d'elle, vous apprendrez que la succession n'a pas encore été complètement liquidée, bien que seize ans se soient écoulés, en raison de la maladie de ma malheureuse sœur. De plus, je peux vous assurer, Capitaine, que nous n'avons pas besoin de cet argent. Je présume qu'il vous sera facile de le vérifier.

Kruslov refusa d'en rabattre. Je ne pouvais faire autrement qu'admirer sa dignité solide.

— Merci pour le renseignement, Mr. Pryor, dit-il calmement. Il me faut maintenant la liste des hommes avec lesquels Miss Olan est sortie.

— Ça, je peux vous le dire, intervint de nouveau Miss Bettiger. Du moins, je peux vous dire avec qui elle est sortie depuis son retour d'Espagne, c'est-à-dire depuis février dernier.

— Combien de temps était-elle restée en Espagne ?

— Six mois, dit Willy. Je désapprouvais qu'elle fasse seule un tel voyage, mais il n'y a rien eu à faire. Elle avait la bougeotte. Je ne pouvais pas l'arrêter.

Miss Bettiger fronça les sourcils pour réfléchir.

— Voyons, Bill Mullingan ; Don Rhoades ; Mr. Sewell.

Elle regarda avec appréhension du côté de Willy.

— Il y en a bien un autre, mais...

— Mais quoi ? demanda Kruslov en se rapprochant d'elle.

— Je ne veux pas lui attirer d'ennuis.

— Je dois savoir ce nom, Miss Bettson.

Elle jeta à Kruslov un coup d'œil exaspéré, mais ne le reprit pas.

— Parfait, dit-elle. Mais ça va faire une belle histoire. Nels Yeagger.

La figure brune de Willy devint de la couleur de la brique.

— C'est un mensonge, hurla-t-il.

— Non, ce n'est pas un mensonge, hurla plus fort encore Miss Bettiger. Et n'essayez pas de me traiter de menteuse, Mr. Pryor.

— Qui est ce type ? s'informa posément Kruslov.

— Il travaille dans notre propriété du Smith Lake, le renseigna Willy. Il s'occupe des bateaux et se charge des menus travaux. Mary n'aurait pas...

— Mais elle l'a fait, coupa Miss Bettiger. Elle est sortie avec lui plusieurs fois. Elle est allée là-bas pour le rencontrer, avant que vous n'ouvriez la maison. Il était fou d'elle. Elle a cessé de le voir, parce que, comme elle disait, il lui cassait les pieds. Il commençait à devenir jaloux et possessif et c'était la seule chose que Mary ne puisse pas supporter.

Comme se parlant à lui-même, Kruslov murmura :

— Le cadavre ne se trouvait pas loin de la route qui mène d'ici au Smith Lake. Hum, jaloux.

Là-dessus, il se tourna vers Hilver et lui fit un signe. Celui-ci abandonna son poste près du mur et se dirigea vers la porte. Comme il allait sortir, Kruslov l'arrêta :

— Emmenez Watson, allez cueillir le gars vous-même et ramenez-le. Personne d'autre, Miss Bettiger ? reprit-il lorsque son subordonné eut disparu.

— Pas que je sache. Mais je crois que je les

connaissais tous. Nous... nous racontions toujours tout. Mon Dieu, ça va me sembler tout... S'interrompant brusquement, elle plongea dans son sac à la recherche d'un mouchoir.

Plus j'y pensais et plus Yeagger me paraissait le meurtrier probable. Il m'avait vu au lac avec Mary. Et je me souvenais d'un petit incident plutôt bizarre. Celui-ci s'était produit la première fois où j'étais allé là-bas avec elle. Nous étions en train de chercher quelqu'un — je ne me souviens plus qui — et nous étions allés jusqu'à l'écurie. Mary était en tenue de cheval. Lorsqu'elle m'avait précédé à l'intérieur du bâtiment, je lui avais fait remarquer qu'elle avait omis de passer sa ceinture dans l'une des pattes de son pantalon. Elle s'était immobilisée aussitôt et m'avait dit :

— Alors, remettez-la moi.

Elle avait défait sa ceinture et me l'avait tendue. Après l'avoir remise convenablement, je m'apprêtais à en refermer la boucle lorsque Yeagger avait fait irruption. Il s'était figé sur place. Mary lui avait dit bonjour, s'était vivement écartée de moi et avait bouclé sa ceinture elle-même. Même à ce moment-là, j'avais réalisé combien notre situation avait dû paraître bizarre à Yeagger, lequel n'avait aucun moyen de savoir comment nous y avions été amenés. A présent, je me rendais compte que ça avait dû le rendre fou de nous surprendre ainsi — mes bras autour d'elle, une litière de paille toute proche et la ceinture de Mary défaite. Vraisemblablement, elle avait cessé de le voir à ce moment-là et il était jaloux.

Je n'avais pas grand-mal à imaginer Yeagger descendant en ville samedi soir et se mettant à la recherche de Mary. Il pouvait très bien avoir repéré la voiture de la jeune femme devant le Club, avoir attendu patiemment puis nous avoir suivis. Ce pouvait parfaitement être lui qui nous avait illuminés de ses phares. Il était né dans les bois et il y avait été élevé ; ce n'aurait pas été très compliqué pour lui de se garer un peu plus loin dans la rue, puis de revenir silencieusement. Juste à temps pour m'entendre donner ma clé à Mary. Le reste n'aurait guère été pour lui bien difficile à manigancer.

Cela me soulagea quelque peu quant à mon rôle dans l'affaire. Je n'avais rien fait. On avait retrouvé le corps. Si c'était Yeagger qui avait tué Mary, et j'étais de plus en plus convaincu que c'était lui, on le coffrerait et, dans l'euphorie de l'avoir coincé, les flics oublieraient ma participation à l'histoire.

Après avoir subi encore des questions qui n'apportèrent rien de plus, l'assemblée se dispersa. Myrna Pryor avait déjà quitté la pièce, peu de temps après que Kruslov eut rendu compte du coup de téléphone. Je me retrouvai dehors, sous le ciel grisâtre, en compagnie de Nancy et de Dodd.

— Elle était tellement vivante, murmura Dodd.

— Et maintenant elle est tellement morte, répliqua Nancy d'une voix trop pointue. Je la regardai avec surprise. Je n'aimai pas cette lueur dans ses yeux. En cet instant, elle n'avait plus rien de commun avec la gentille Nancy que je connaissais.

Ils grimpèrent dans leur voiture et démarrèrent. Au moment où j'allais monter dans la mienne, Paul France surgit à mes côtés. Il portait un chapeau de feutre gris pâle aux bords relevés tout autour et légèrement rejeté en arrière. Il ressemblait ainsi à un lapin inoffensif.

— Yeagger vous conviendrait assez, hein ? demanda-t-il.

— Que voulez-vous dire ?

— C'est le frère de Miss Olan qui m'a engagé, Sewell. Sachez-le. Je suis resté là bien tranquille à observer les gens. Ne jouez jamais au poker avec moi. Lorsque vous êtes entré dans cette pièce, vous aviez un grand vide au creux de l'estomac et tout votre argent sur la table. Et puis ce coup de téléphone est arrivé. Pour vous, ça a été comme une carte que vous veniez de tirer et qui a comblé ce vide dans votre poitrine. Les plis de votre figure se sont effacés et, de soulagement, vos épaules se sont abaissées de cinq bons centimètres.

— Vous avez beaucoup d'imagination.

— Je n'en ai aucune. Je ne crois jamais que ce que je vois. C'est peut-être pourquoi je ne réussis pas trop mal dans ce métier.

— Peut-être avais-je simplement peur que Kruslov s'en prenne à moi, Mr. France.

— Rien que cela ?

— Je ne vois pas ce que ça aurait pu être d'autre, non ?

Il eut un sourire. Ce sourire ne me plut pas. Il ressemblait à celui qu'arborent éternellement certains poissons tropicaux aux dents acérées. Il reprit la direction de la maison des Pryor. Je le suivis des yeux. Sa démarche était celle qui caractérise ordinairement les professionnels du ring ou les très bons danseurs. J'étais heureux qu'il eût coupé court à l'entretien. Celui-ci m'avait mis mal à l'aise. J'étais surtout particulièrement heureux de ne pas avoir tué Mary Olan. Car j'aurais mis ma main à couper qu'il ne lui aurait pas fallu longtemps pour me confondre.

* *
*

Il était six heures dix lorsque j'arrivai en vue de l'usine. Juste à ce moment-là, le ciel vira du gris au noir et une pluie dense, brutale se mit à tomber, recouvrant l'asphalte d'une épaisse pellicule brillante. Comme je ralentissais prudemment, j'aperçus Toni Mac Rae, la silhouette déformée par l'eau du

88

pare-brise, qui courait dans la direction de l'arrêt d'autobus en tenant son sac au-dessus de sa tête.

Elle courait à la façon des filles, les genoux en dedans, les talons en dehors, et balançant des hanches. C'était à la fois gauche et charmant.

J'ouvris la portière de ma voiture et l'appelai. Elle accourut vers moi et, dans un même mouvement elle se laissa tomber sur la banquette et referma la portière. Elle haletait.

— Ouf, fit-elle.

— Fichu temps.

— Encore cinquante mètres et ça ne m'aurait plus servi à rien de courir. J'aurais été trempée de toute façon.

La pluie avait rendu son pull-over plus collant et d'un bleu plus foncé. Ses cheveux étaient à peu près secs sur le dessus mais les pointes étaient toutes mouillées. J'entrai dans la cour de l'usine pour opérer un demi-tour puis repris la direction de la ville.

— Cette fois, dis-je, j'arrive enfin à vous ramener chez vous.

— Cette fois, oui, acquiesça-t-elle. C'était un perpétuel sujet de discussion entre nous. Elle se refusait à ce que je l'emmène le matin au bureau ou que je la reconduise chez elle le soir. Or, elle habite au 985 de la rue Jefferson et moi au 989, deux portes plus loin. J'avais ignoré qu'elle était ma voisine jusqu'au jour où je l'avais rencontrée chez l'épicier du coin. C'est alors que je lui avais proposé d'effectuer l'aller et retour quotidien dans ma voiture, mais elle n'avait jamais rien voulu entendre.

— Est-ce qu'il y a du nouveau au sujet de Mary Olan ? s'informa-t-elle.

— On a retrouvé son cadavre. Dans les bois, là-haut sur les collines. Elle a été étranglée.

— Oh, c'est horrible, s'exclama Toni. C'est absolument incroyable. Qui a fait ça ?

— On n'en sait rien. On croit que c'est un dénommé Yeagger, une sorte d'homme à tout faire.

J'exposai à Toni les raisons pour lesquelles la police pensait que Yeagger était le meurtrier.

Elle frissonna deux ou trois fois, d'une manière tout à fait attendrissante et je branchai le chauffage de la voiture. Elle retira alors ses chaussures et tendit ses pieds dans la direction de la chaleur.

— Pauvre Mary Olan, fit-elle. Mais pourquoi, pourquoi ?

— Je n'en sais rien, Toni. Vraiment, je n'en sais rien. Elle avait tout pour elle : la santé, la beauté, la fortune et la position. Mais elle n'avait pas l'air d'être très heureuse. Elle ne s'amusait pas. Elle était possédée par des tas de démons qui ne lui laissaient guère de repos.

La pluie se ralentit un peu mais, au moment où je débouchais dans notre rue, elle redoubla, faisant un torrent du ruisseau et martelant de coups métalliques et précipités le toit de ma voiture. Je me rangeai devant l'immeuble de Toni mais, comme elle tendait la main vers la poignée de la portière, j'arrêtai son geste.

— Attendez une minute. Ce n'est pas la peine de vous faire tremper encore davantage. Je ne suis attendu nulle part.

Nous restâmes assis côte à côte, isolés du reste du monde par l'écran liquide qui nous entourait.

— Je vais encore remettre ce vieux disque, dis-je. Pourquoi ne me laissez-vous pas vous conduire au bureau et vous ramener le soir ? Vous économiseriez de l'argent et vous gagneriez un quart d'heure de sommeil supplémentaire, chaque matin.

Elle sourit.

— Vous arriveriez presque à me séduire avec ce

quart d'heure de sommeil. Mais vraiment, non, Clint. Merci beaucoup, mais non.

Sa réponse m'irrita un peu, car elle sous-entendait que je formulais cette offre dans un dessein bien défini.

— Et pourquoi donc ? demandai-je quelque peu aigrement.

— Il arrive des choses étranges aux employées de la C.P.P. qui sortent avec les jeunes sous-directeurs à cheveux blonds. Elles ont tout l'air d'être flanquées à la porte et moi, j'aime mon travail. Pas d'autres questions ?

Sa colère répondait à mon aigreur.

— Juste un simple trajet aller et retour en voiture ? Quel mal y a-t-il à cela ?

Elle plissa les lèvres et me regarda d'un air méditatif.

— Un simple trajet aller et retour. C'est ça, n'est-ce pas ? Pour l'instant. Soyez raisonnable, Clint, je vous en prie. Nous sommes seuls tous les deux. J'en suis consciente et je suppose que vous l'êtes également. Vous me conduisez simplement au bureau chaque matin et vous me ramenez chaque soir. Et chaque soir, je vous serre la main et je vous remercie. Est-ce vraiment ainsi que vous voyez les choses ? Combien de temps s'écoulera-t-il jusqu'à ce que nous nous arrêtions quelque part sur le chemin du retour ? Juste une tasse de café, Toni. Bien sûr. Puis plus tard, un steak. Pourquoi pas ? Non, Clint. Restons où nous en sommes. Nous travaillons dans le même bureau, c'est tout. Et c'est assez, parce que je vous aime bien trop déjà.

Tout en parlant, elle avait enfilé ses pieds dans ses chaussures. Elle ouvrit prestement la portière et s'enfuit en courant sous la pluie battante. Une minute plus tard, elle avait disparu à l'intérieur de sa maison.

De tout ce qu'elle m'avait dit, je ne retins qu'une chose : c'est qu'elle m'aimait bien trop déjà. C'était la première brèche dans l'armure rigide.

Je présumai qu'elle m'avait dit cela sous le coup d'une impulsion et qu'elle le regretterait plus tard. Elle n'était pas fille à calculer, à chercher l'occasion de me faire un aveu de cette sorte.

De retour chez moi, je ne cessai de penser à elle, à ses longues jambes fermes, à son sourire, à ses yeux graves.

6

Ce soir-là, le journal de dix heures débuta ainsi :
— Le chef de la police, Judson Sutton, a déclaré
cet après-midi à notre reporter qu'il escomptait
résoudre rapidemenet le mystère de la mort de Mary
Olan. La pluie et l'obscurité ont malheureusement
gêné les recherches effectuées dans la région où le
cadavre a été retrouvé. Ces recherches reprendront
demain matin et il nous reste à espérer qu'elles
permettront la découverte d'un indice qui désignera
le meurtrier.

» Pour ma part, j'espérais plutôt qu'on n'irait pas
chercher dans les cavités de souches d'arbres.

» Aujourd'hui, dans l'après-midi, Nels Yeagger,
employé comme homme à tout faire à la propriété
des Pryor au Smith Lake, a été ramené en ville aux
fins d'interrogatoire. Il a été arrêté par deux des
adjoints du capitaine Kruslov, qui s'occupe de l'affaire personnellement. A l'heure où nous diffusons
cette émission, Yeagger n'a pas encore été relâché et
l'on présume que son interrogatoire se poursuit.

» Le bureau du coroner, après examen du cadavre, a fait remonter le décès à dimanche matin, entre
deux heures et cinq heures. La mort a été provoquée
par une mince bande de tissu serrée autour du cou de
la victime. D'après le coroner Walther, il se pourrait

que l'objet en question fût une ceinture dont l'assassin se serait servi comme d'un nœud coulant. L'absence de toute trace de lutte sur le cadavre semble indiquer que Miss Olan était inconsciente au moment où elle a été tuée. Elle n'a pas été violentée. On a retrouvé sur elle un bracelet de très grande valeur et, en dépit du fait que son sac à main ait disparu, la police a éliminé le vol comme pouvant être le mobile du crime. Le sac que portait Miss Olan, lors de la soirée qui a précédé sa mort, était en satin noir orné d'un fermoir en or. Elle...

A ce moment-là, mon téléphone sonna et je tournai le bouton de la radio. Le sergent Hilver était au bout du fil.

— Mr. Sewell, commença-t-il, le capitaine veut que vous veniez pour laisser vos empreintes. J'aurais dû vous le dire cet après-midi chez les Pryor, mais il m'a fait partir avant la fin de la réunion, vous vous en souvenez et j'ai oublié.

— Tout de suite ?

— Tout de suite.

Il n'y avait rien à répondre à cela. Je remis ma cravate et ma veste et descendis au quartier général de la police. C'est une vieille bâtisse de pierres rougeâtres, marquée par une bonne centaine d'années de service de la justice. Un sergent retranché derrière un guichet m'indiqua la direction à suivre. Quand je fus parvenu au bureau *ad hoc* un type en bras de chemise inscrivit mon nom, mon âge, mon lieu de naissance, mon poids, ma taille, etc. Il roula ensuite mes doigts sur un tampon encré puis sur une carte. Quand l'opération fut terminée, il me donna une serviette en papier et m'envoya m'asseoir sur une banquette de moleskine usagée qui se trouvait dans le coin.

— Je peux m'en aller maintenant ? demandai-je.

— Asseyez-vous et restez là.

J'obéis. Le type quitta la pièce et je demeurai là, à attendre et à attendre. Pour tuer le temps, je m'absorbai dans la contemplation d'une pin-up aux formes rebondies qui ornait un calendrier mural. Un plaisantin l'avait, à grands coups de crayon noir, dotée d'un système pileux complet. Je bâillais à m'en décrocher la mâchoire, lorsque enfin, sur le coup de onze heures et demie, Kruslov fit irruption. Il était, lui aussi, en bras de chemise et les deux extrémités de sa cravate dénouée pendaient d'une manière découragée. Il me fixa, manifestement soucieux, puis tourna les talons et sortit. Je l'appelai mais il ne répondit pas.

Dix minutes plus tard, il réapparut, une feuille de papier à la main. Il s'installa derrière la table.

— Sewell, fit-il, voyons un peu ce que nous avons là. Nette empreinte de l'auriculaire et de l'annulaire de la main gauche sur le dos du rétroviseur ; empreinte brouillée du pouce gauche sur la face du miroir. Fragment d'empreinte du pouce droit, très nette, sur l'avertisseur.

— Je vous ai dit que j'avais conduit sa voiture, m'exclamai-je avec colère. J'ai réglé le rétroviseur et je crois que j'ai klaxonné une fois. Maintenant, vous pouvez être fiers. Vous avez prouvé que j'avais conduit la voiture.

Il eut un bâillement et plaça son poing devant sa bouche.

— Du calme. Du calme. On ne vous a pas dit qu'on allait vous garder.

— Est-ce que je peux partir maintenant ?

— Gus dit que vous êtes un travailleur enragé. Il prétend que vous êtes tout le temps sur son dos.

— Gus et moi, nous nous entendons bien.

— Il m'a dit ça aussi. Il n'a pas manqué un seul jour, à part les vacances, depuis qu'on a ouvert cette usine. Ça va lui faire vingt-six ans qu'il a passés avec les machines, dont six ici.

— C'est un brave type.

Kruslov bâilla à nouveau :

— Moi aussi, j'aurais dû rentrer dans ce business. Je me figurais que celui-ci m'assurerait une retraite. Maintenant, Gus aussi va prendre sa retraite. Peut-être meilleure que celle que j'aurai. Est-ce qu'on fait quelque chose pour inciter un gars à devenir flic ?

— Est-ce que Yeagger a avoué ?

— Non. Nous l'avons laissé partir. Il a fallu longtemps pour vérifier son emploi du temps, mais finalement on y est quand même arrivé. Mais pour ça, il nous a fallu contacter la moitié des habitants des collines. Il a quitté son travail samedi à six heures. De huit heures à minuit, il est resté dans une brasserie. Ensuite, lui et un autre type, ils ont ramassé deux filles qui étaient entrées dans la brasserie en question. Ils avaient une voiture et une bouteille. Ils sont partis avec les donzelles dans une espèce d'auberge pour chasseurs qui se trouve près du Grey Lake et ils y sont restés jusqu'au dimanche à midi. Ce pauvre Yeagger avait pris une telle cuite cette nuit-là qu'il était plutôt fumeux en ce qui concernait les détails. Enfin, nous sommes arrivés à tout vérifier. Pendant un moment, il n'avait rien voulu dire jusqu'à ce qu'on l'ait convaincu qu'il se trouvait dans de sales draps. Il ne voulait pas parler parce que ça allait faire une histoire avec le mari de l'une des filles qu'ils avaient ramassées. Vous voulez savoir quelque chose de drôle ? Il m'a raconté tout ça et je l'ai cru : c'est la première fois, dans toute son existence, qu'il a fait une chose de ce genre. Que pensez-vous de ça ?

— Curieux.

— Il a perdu sa place parce que la petite Olan est sortie avec lui. C'est un véritable drame pour ce garçon. Samedi soir, c'est à cause d'elle qu'il s'est saoulé.

— C'est ce qu'il raconte.

— Mais je le crois. Vous savez, cette fille était une fichue garce. Plus je fouille et plus j'en apprends sur elle. Elle est allée là-bas avant que son oncle n'ouvre la maison, uniquement pour créer des ennuis à Yeagger. Elle avait une clé de la propriété et elle y a emmené Yeagger. En une seule leçon, elle lui en a appris plus qu'il n'en avait découvert lui-même durant toute son existence. Retirer cela à ce garçon équivalait à lui arracher les dents. Elle est retournée là-bas plusieurs fois, et quand elle a eu Yeagger bien en main, qu'elle l'a rendu complètement fou d'amour, elle l'a laissé tomber comme une vieille chaussette.

— Bon Dieu !

— Vous savez, il vous hait, Sewell. Il croit que c'est vous qui l'avez détachée de lui. Il croit que c'est vous qui bénéficiez de ce qu'on lui avait enlevé.

— Non ce n'est pas moi. Mais ce n'est pas faute d'avoir essayé, Capitaine.

— Je vous crois volontiers. J'ai eu l'occasion de la voir vivante une ou deux fois. Joli petit morceau. Même morte, elle n'était pas trop mal. Il y a encore quelque chose de drôle. Yeagger croyait que Willy Pryor savait ce qui se passait.

— J'ai du mal à le croire.

— Je ne le crois d'ailleurs pas. D'après lui, il aurait eu cette impression à la suite de quelque chose que la petite Olan lui aurait dit. Il ne peut pas se souvenir au juste de ce que c'était. Il croit qu'elle lui avait dit que Willy Pryor savait tout ce qu'elle faisait. Qu'elle le lui racontait ou quelque chose comme ça. Comme si elle s'en vantait auprès de lui.

— Elle a dû lui dire ça pour l'épater.

— C'est ce que je crois aussi. Sewell, est-ce que

vous n'auriez pas par hasard déposé ce cadavre sur votre route, dimanche, en allant au lac ?

Mon cœur fit un tel bond, dans ma poitrine que j'eus l'impression qu'il m'était remonté jusque sous la gorge. Puis je vis que Kruslov souriait à moitié.

— Je n'ai pas voulu salir ma voiture, fis-je, m'efforçant de plaisanter. J'ai traîné le corps attaché avec un câble.

— Je voudrais bien savoir qui l'a amené là. En tout cas, ce n'est pas Yeagger. Allez, rentrer chez vous, Sewell et dormez bien.

Il sortit de la pièce avec moi. Comme nous venions de franchir la porte, Yeagger apparut dans le couloir, escorté par Hilver. Les flics qui l'avaient cueilli ne lui avaient manifestement pas laissé le temps de se changer, car il portait sa tenue de travail. Il était démesurément grand — il ne devait pas mesurer beaucoup moins d'un mètre quatre-vingt-dix — et bâti en athlète. Ses muscles puissants saillaient sous le blue-jeans étroit. Il avait l'air amer, las et découragé.

Il me reconnut et son visage changea. Vivement, il détourna les yeux et se dirigea vers la porte principale. Hilver le regarda s'éloigner.

— Comment va-t-il rentrer ? s'informa Kruslov.

— Je lui ai demandé. Il m'a dit qu'il allait se débrouiller. Je suppose qu'il est assez grand pour prendre soin de lui-même. Nous restâmes un moment à bavarder tous les trois, puis je sortis à mon tour. Il était beaucoup plus de minuit et la ville était silencieuse. Je me dirigeai vers ma voiture. Je savais que Yeagger était là, non loin de moi, quelque part dans la nuit. Je me souvins de la façon dont il m'avait regardé et cela me fit passer un frisson dans le dos. Pour me prouver que je n'avais pas peur, je ralentis le pas.

Au moment où j'allais atteindre ma voiture, une

grande ombre se détacha de la masse plus sombre du véhicule et me barra le passage.

— Yeagger, dis-je.

Il me répondit par une injure et se jeta sur moi. Je voulus l'arrêter et rencontrai un bras aussi dur qu'une branche de chêne. Il m'attrapa le poignet, le tordit et l'amena entre mes deux omoplates. La douleur m'arracha un cri.

— La clé de la voiture, ordonna-t-il.

De ma main libre, je pris le trousseau dans ma poche et le laissai tomber sur le trottoir. Je croyais qu'il allait me lâcher pour le rammasser, ce dont, j'aurai profité pour piquer un sprint ; il avait l'air trop lourdement musclé pour pouvoir courir aussi vite que j'en avais l'intention. Mais il me força à me pencher en même temps que lui et, quand il eut ramassé les clés, il ouvrit la portière de ma voiture, me poussa brutalement à l'intérieur et grimpa derrière moi.

— N'essayez pas de filer, me conseilla-t-il.

— Qu'est-ce que vous voulez ?

— Je veux vous parler, Sewell. Mais pas ici.

— Chez moi, ça vous convient ?

Il réfléchit une seconde :

— Qui est là-bas ?

— Personne.

Il enfonça la clé de contact dans le tableau de bord et démarra. Je lui indiquai le chemin à prendre. Je ne savais pas quoi faire au juste — son entrée en matière avait été plutôt brutale, mais il paraissait raisonnable. Peut-être, après tout, ne voulait-il rien d'autre que de me parler. Quand il eut stoppé devant la maison, il me saisit de nouveau par le poignet, avant même de couper le moteur, puis il m'entraîna hors de la voiture. Il jeta un coup d'œil dans la direction de mon appartement et, voyant que la lumière était allumée — je ne l'avais pas éteinte avant de partir —

il obliqua brusquement, me tirant avec lui, vers l'obscurité du jardinet.

— Qu'est-ce que vous voulez? demandai-je, m'efforçant à prendre un ton calme et sans inquiétude.

Il resserra plus fort sa main autour de mon poignet puis me bloqua contre un arbre et là, tout d'un bloc, il me déversa ce qu'il avait sur le cœur. Que c'était moi qui avais détaché Mary de lui. Que maintenant elle était morte et que c'était ma faute. Il parlait à voix basse, sa bouche tout près de mon oreille, mais je sentais que peu à peu il perdait le contrôle de lui-même. Il m'avait de nouveau ramené le poignet entre les omoplates et je sentais que, dans son excitation croissante, il était près de me casser le bras. Je grimaçais de douleur, regrettant amèrement de n'avoir pas essayé de m'enfuir, alors que nous étions dans la voiture. Je savais que mon bras allait céder. Je tentai de crier, dans l'espoir d'éveiller quelqu'un soit d'effrayer Yeagger ou de le ramener à la raison. Mais il me saisit à la gorge, étouffant le cri qui allait en jaillir. Dans un effort désespéré, je frappai au hasard de ma main libre. L'étau autour de mon cou se resserra. Des cercles rouges apparurent devant mes yeux puis, brusquement, ce fut le néant.

*\
*

Lorsque je repris conscience, j'étais étendu de tout mon long sur l'herbe avec en face des yeux, quelques étoiles indiscrètes qui clignotaient à travers les feuilles. Je pouvais entendre, tout proche, le rythme d'une respiration bruyante et saccadée. Péniblement, je me mis sur mon séant. Yeagger gisait à côté de moi, la face contre terre, la joue pleine de sang. Je me massai le bras droit ; il était flasque et sans force, comme un membre mort. Je me remis debout, quelque peu chancelant. J'avais l'impression que quelqu'un m'épiait, tapi dans l'ombre des arbres. Tant bien que mal, je réussis à mettre Yeagger sur le dos. Au bout d'un moment, il s'assit et me fixa avec égarement. Je l'aidai à se relever. Il s'appuya sur moi de tout son poids et je l'emmenai chez moi. Je l'installai dans un fauteuil où il demeura prostré, les coudes sur les genoux, les yeux clos. Je déplaçai une lampe de façon à pouvoir voir sa tête. Au-dessus de sa tempe droite, une plaie béait, longue à peu près de cinq centimètres. J'allai chercher une serviette humide dans ma salle de bains et la lui apportai. Il essuya le sang qui lui couvrait la figure puis il maintint le linge contre sa blessure.

— Qu'est-ce qui s'est passé ? demandai-je. Il me fallut lui poser deux fois la question avant qu'il se décidât à me regarder en face.

— Je... Je crois que j'étais en train d'essayer de vous tuer. Et puis, j'ai entendu quelqu'un derrière moi. J'ai voulu me retourner et... c'est tout.

— C'est une sacrée chance que quelqu'un vous ait arrêté, commentai-je.

Son front se plissa :

— Je... Tout est cuit, maintenant. Tout. Mary était la seule chose qui comptait pour moi. C'est vous qui...

— Je n'y suis pour rien, coupai-je. Mary était une instable, Yeagger. Vous n'étiez pour elle qu'un amusement passager. Si cela comptait beaucoup pour vous, cela ne faisait que rendre le jeu plus amusant. Il ne faut vous en prendre qu'à vous-même, pas à moi.

Il détourna les yeux :

— Je crois que je sais tout ça. Je crois que je l'ai toujours su. Mais... je m'en veux de vous avoir couru après et de... Brusquement, sa figure rude et virile se plissa, se tordit comme celle d'un enfant, et il se mit à pleurer. Je ne savais plus où me mettre. Il se cacha les yeux dans sa large paume et sanglota bruyamment. Au bout d'un moment, il s'arrêta et essuya ses pleurs de ses deux poings. Il n'osait plus me regarder en face. Je lui conseillai de se faire faire un point de suture à la tête ; il me répondit que ça n'avait pas d'importance. Je lui demandai ensuite comment il comptait rentrer chez lui ; j'obtins la même réponse. Il avait hâte de s'en aller. Bien sûr, si on ne l'avait pas frappé, il m'aurait tué. Mais je ne me sentais plus aucune rancune, ni aucune colère à son endroit. J'avais plutôt pitié de lui. Tout grand, dur et fort qu'il était, ce n'était au fond qu'un enfant. Il m'en voulait de lui avoir fauché ses billes, c'était tout.

Debout sur le seuil de ma porte, je le regardai s'éloigner vers la rue, grande ombre s'évanouissant dans la nuit.

Je scrutai l'obscurité du jardin et, de nouveau, j'eus l'impression que quelqu'un était caché là. C'était comme une sorte de sixième sens qui m'avertissait, un instinct hérité de l'âge des cavernes. Le monde était devenu soudain immense, sombre et hostile. Quelqu'un, pour une raison inconnue, avait empêché un meurtre. Cette nuit-là, j'étais enclin à croire que ce crime n'avait été empêché que pour être perpétré plus tard, par quelqu'un d'autre. Je me mis au lit et me demandai à qui diable ça aurait fait quelque chose, si ma vie s'était terminée là, entre les mains de Yeagger. Il s'en était fallu d'un rien qu'elle se termine — et la dernière perception que j'aurais eue du monde aurait été ces cercles rouges devant mes yeux et cette nuit qui m'engloutissait.

* * *

Lorsque je m'éveillai, le lendemain matin, je retrouvai en moi ce sentiment de dépression. Mon bras était ankylosé, mais plus valide que je ne l'escomptais. Ma gorge me faisait mal, à chaque

102

inspiration. Dans tous les rêves que j'avais faits durant la nuit, il y avait eu quelqu'un qui se tenait dans l'ombre et m'épiait.

A l'usine, l'atelier s'apprêtait à recevoir deux nouvelles pièces d'équipement lourd. Deux experts de la compagnie de machines-outils étaient présents. La mise en place du matériel me prit la moitié de la matinée. Ensuite, en compagnie de Gus Kruslov, des ingénieurs et des experts, nous fîmes fonctionner les machines jusqu'à ce que nous en connaissions les moindres détails. A trois heures, je n'avais pas encore déjeuné. Je gagnai le vestiaire, me débarrassai de mon « bleu » de protection, enlevai la graisse de mes mains et enfilai ma veste.

Dodd Raymond apparut à ce moment-là. Il avait l'air distrait, absent.

— Je crois qu'ils ont relâché Yeagger, commença-t-il.

— En effet. Cette nuit. J'y étais.

— Qu'est-ce que vous faisiez là-bas, Clint ?

— Ils voulaient avoir mes empreintes. Est-ce qu'ils ont pris les vôtres ?

— Oui. Ce Paul France nous a rendu visite hier soir. Il a posé des tas de questions. Drôle de type.

J'achevai de m'essuyer les mains puis je me tournai pour lui faire face :

— Est-ce qu'il vous a questionné au sujet de cette clé dont Miss Bettiger a parlé ?

— Pourquoi l'aurait-il fait ?

— Dodd, Mary m'avait tout raconté à propos de vous, de cette clé et de votre petit nid d'amour.

Il s'empourpra de colère :

— Elle m'avait promis de n'en parler à personne.

— Vous avez été bien bête, non ?

Je vis son visage changer :

— Ne vous oubliez pas, Sewell !

— Oublier que vous êtes le patron ? Non. Mais qu'est-ce que je dois dire si on m'interroge là-dessus ?

Il devint immédiatement plus conciliant.

— Clint, je ne voulais pas être désobligeant. Réellement, cela n'aiderait en rien la police de lui raconter ça. Puisque Mary vous l'a dit, vous savez donc que j'ai un petit appartement à l'ouest de la ville. J'irai y chercher mes affaires dès que j'en aurai la possibilité. Ce n'était pas une chose à faire, je le sais bien. Mais je suppose que j'avais perdu la tête. Nous ne nous sommes rencontrés là-bas que six ou sept fois, c'est tout. Cela n'aiderait en rien la police et, par contre, cela risquerait de briser mon foyer. Nancy ne sait rien de tout cela. Je vous serais reconnaissant de… de simplement laisser courir. Après tout, ce n'est pas moi qui l'aie tuée. Cela doit être assez évident.

— Alors qui l'a tuée, Dodd ?

— Je n'en ai pas la moindre idée, répondit-il.

Il s'avança vers une glace pour redresser sa cravate. Mais je vis ses yeux dans le miroir et sentis qu'il mentait. Peut-être ne le savait-il réellement pas, mais je crois qu'il en avait une idée. Une bonne petite idée.

Quand il m'eut arraché la promesse de me taire, il s'en alla et je regagnai mon bureau. Toni et moi avions été quelque peu mal à l'aise l'un vis-à-vis de l'autre, toute la journée, et j'avais pallié cette gêne commune en étant le plus possible impersonnel. A présent, la faim me mettait les nerfs à vif et je malmenais la pauvre Toni dont je vis tout à coup les yeux s'emplir de larmes. Je lui fis des excuses et tentai de ramener un sourire sur ses lèvres. Ce fut d'abord une pauvre petite grimace, puis enfin un beau sourire qui faisait plaisir à voir. Elle sortit pour aller me chercher un verre de lait et un sandwich.

A cinq heures, Nancy Raymond me téléphona.

Elle voulait me parler mais se refusa à me dire de quoi il s'agissait. Elle désirait que nous nous retrouvions au *Raphaël*, un petit bar de Broad Street, pas très loin du pont. J'acceptai.

Toni s'en alla à cinq heures vingt-cinq. Je sortis du bureau derrière elle et, m'accoudant à la rambarde de la « mezzanine », je la regardai descendre l'escalier de fer qui débouchait dans l'atelier. Arrivée en bas, elle leva la tête pour me sourire — un éclair blanc dans une figure brune — et l'instant d'après, elle avait disparu.

Le *Raphaël* est le prototype du petit bar élégant. La décoration en est sobre et de bon goût, les lumières tamisées et les fauteuils profonds. Les gens y parlent à voix basse, y boivent tranquillement et y ébauchent des petites intrigues qui brisent pas mal de cœurs.

Nancy m'attendait à une table d'angle. Elle me sourit tandis que je m'avançai vers elle. Elle avait tiré ses cheveux en arrière, en une coiffure un peu sévère qui faisait paraître sa tête trop petite.

A peine fus-je assis que le garçon s'approchait. Je lui commandai un martini. Il plaça un cendrier sur la table et emporta le verre vide de Nancy.

— Il m'a fallu en prendre deux pour me donner du courage, avoua-t-elle. Non, Clint, ne me regardez pas comme ça. Je ne vous causerai pas les mêmes tracas que ce fameux soir au Club.

— Ce ne sont pas les tracas que vous pourriez me causer qui m'ennuieraient, Nancy.

— Si, cela vous ennuierait. Et moi aussi. Je ne sais pas... comment commencer.

— Commencez, tout simplement.

Elle prit un temps, comme nos verres arrivaient.

— Je vous ai dit que Dodd et moi, nous nous étions disputés samedi soir et qu'il n'était rentré qu'à cinq heures du matin. Vous vous en souvenez ?

— Oui, bien sûr.

— Je crois que vous êtes la seule personne à savoir cela. Hier, il est venu me chercher pour m'emmener chez les Pryor et, en route, il m'a dit, très calmement, que si quelque chose était arrivé à Mary, cela risquerait de provoquer des tas d'ennuis et de complications inutiles s'il devait rendre compte de ce qu'il avait fait durant ce laps de temps. Il a prétendu qu'il était parti sur la route, au hasard, qu'il avait roulé pendant quatre-vingts ou peut-être cent kilomètres, puis qu'il s'était arrêté et qu'il avait écouté la radio en fumant des cigarettes. Il m'a dit qu'il était simplement en train de bouder comme un enfant et qu'il voulait que je m'inquiète à son sujet. Qu'il n'était allé voir personne. Il m'a affirmé qu'au bout d'une heure, il avait fait demi-tour et qu'il était rentré à la maison, un peu honteux de lui-même. Enfin, pour terminer, il m'a assuré que ce serait beaucoup plus simple si je disais qu'en quittant le Club, nous étions rentrés directement et qu'il n'était pas ressorti du tout.

— Vous avez accepté ?

— Attendez une minute. Je lui ai répondu que j'allais y réfléchir. Je lui ai dit que je ne croyais pas que ce soit très malin de raconter des mensonges à la police. Que si je leur mentais et qu'ils découvrent plus tard que je leur avais menti, ce serait encore pire pour lui. Enfin, vous savez ce qui s'est passé à cette réunion. J'ai pensé que ce Nels Yeagger était l'assassin et que la police allait le prouver — c'était l'impression que j'avais. Aussi, lorsque le sergent Hilver m'a interrogée, je n'ai dit que ce que Dodd voulait que je dise. Hier soir, Paul France est passé à la maison. Je lui ai répété le même mensonge. Vous avez lu les journaux de ce matin. On a relâché Yeagger.

— Oui ?

106

Elle leva son verre d'une main incertaine :

— Clint, je ne sais plus quoi penser à présent.

— Etes-vous en train d'essayer de me dire que maintenant vous vous demandez si ce n'est pas Dodd qui a tué Mary ? Et qu'attendez-vous de moi ? Que je vous réponde que c'est un non-sens ?

Elle baissa les yeux et, quand elle les releva, ils étaient pleins de larmes. L'une d'elles roula le long de sa joue et la jeune femme l'écrasa du revers de sa main, dans un geste enfantin :

— Je ne sais plus. Vraiment je ne sais plus. Et je ne connais personne d'autre que vous à qui me confier.

— Qu'est-ce qui vous a amenée à vous poser ces questions ?

— Il... il s'est conduit d'une manière si bizarre. Comme s'il n'était plus lui-même. Cette nuit, il est resté debout presque tout le temps, à arpenter la pièce dans tous les sens. Il ne m'entendait pas quand je lui adressais la parole.

Je lui fis part de la conversation que j'avais eue avec lui dans les lavabos de l'usine.

— Cinq ou six fois, fit-elle avec amertume. Et je ne sais rien de tout cela. Rien du tout. Je suppose que ces choses doivent avoir une valeur arithmétique : cinq ou six fois, c'est moins mal que vingt. Mais une fois équivaut à cent, n'est-ce pas ?

— Je ne peux pas imaginer qu'il l'ait tuée, Nancy. Pas Dodd. Il est homme à oser une liaison, mais pas un meurtre. Il est beaucoup trop équilibré pour cela. Trop équilibré, trop fort, trop ambitieux et... peut-être trop égoïste.

J'avais espéré la réconforter par ces paroles. Je n'obtins pas l'effet escompté. Ses yeux flambèrent soudain :

— Comment pouvez-vous dire ça ? Comment pouvez-vous dire une chose pareille ? Les gens l'ont toujours aimé et ont toujours aimé travailler avec lui. Vous vous trompez complètement à son sujet. Complètement !

Je songeai à l'avertissement de Tory et à celui de Ray. J'aurais pu en faire part à Nancy, mais je réalisai que celle-ci n'avait pas encore renoncé à son amour. En essayant de lui ouvrir les yeux, je n'aurais réussi qu'à lui enlever quelque chose de plus : l'illusion que Dodd avait créée dans son esprit. Même si celui-ci l'avait cruellement blessée par son infidélité, elle avait peut-être le droit d'être fière de la réputation professionnelle de son mari.

— Peut-être ai-je tort, Nancy, admis-je.

— Certainement, Clint. N'en doutez pas.

Cela me surprenait un peu que Nancy n'ait jamais eu conscience de l'arrivisme dénué de scrupules de Dodd. Celui-ci lui avait donc joué la comédie, comme il la jouait à tout le monde. Je me demandai s'il existait quelqu'un à qui il montrait son vrai visage. S'il avait été sincère avec Mary Olan.

Nancy eut un frisson :

— C'est affreux pour moi, de me demander nuit et jour s'il pourrait être capable d'avoir fait ça. S'il se conduisait normalement, je cesserais de me poser ces questions. Mais il a quelque chose en tête — quelque chose de si important qu'il me paraît lointain, absent, comme s'il ne me connaissait plus.

— C'est peut-être, tout simplement, qu'il a peur que la police découvre sa liaison.

— C'est ce que je me suis dit aussi, approuva-t-elle vivement. Clint, il ne pourrait pas tuer quelqu'un, n'est-ce pas ?

— Je ne le crois pas.

Elle parut plus sereine pendant un moment, puis retomba de nouveau dans son tourment. Elle éclata d'un rire amer :

— Il y a six mois, fit-elle, j'aurais juré qu'il était

incapable de… regarder une autre femme que moi. Mais il l'a fait. Alors, que vaut la confiance ?

— Il y a un moyen de mettre un terme à votre inquiétude, Nancy.

— Lequel ?

— Dire à Kruslov la vérité en ce qui concerne la nuit où Mary a été tuée.

Pendant quelques minutes, elle me fixa sans mot dire puis elle enfila ses gants.

— Je vous remercie de m'avoir écoutée, Clint. Je croyais que vous pourriez m'aider. Je regrette de m'être trompée.

Je me levai en même temps qu'elle pour la saluer, la suivis des yeux tandis qu'elle traversait la salle, puis me rassis. Pauvre Nancy. Sa vaste capacité d'amour était confrontée à la blessure que Dodd lui avait infligée. Il était facile de sentir que, pour elle, l'acte de chair était un don total de tout l'être, engageant le cœur et l'esprit en même temps que les sens. La trahison lui faisait plus de mal qu'à une femme qui aurait simplement subi les étreintes conjugales. La volupté qu'elle avait trouvée avec Dodd l'avait liée à lui corps et âme, et cette fidélité totale l'empêchait d'admettre véritablement qu'il eût pu commettre un meurtre. Elle se torturait et se punissait elle-même avec des soupçons qui n'étaient ni réels ni sincères.

Je fis signe au garçon, réglai et sortis.

7

Après m'être octroyé un solide repas dans un petit restaurant italien, je rentrai chez moi. Je garai ma voiture puis, alors que je cherchais déjà ma clé dans ma poche, je décidai d'aller faire une petite promenade digestive. La nuit commençait juste à tomber. En passant devant la maison où habitait Toni, je levai les yeux, me demandant quelle fenêtre était la sienne.

Je crois que je marchai ainsi pendant près d'une heure, de-ci de-là, au gré de ma fantaisie, mais sans beaucoup m'éloigner de chez moi. Soudain, je me souvins des ordures de Mme Speers et de la promesse que j'avais faite à la brave femme. Il n'était pas trop tard pour la mettre à exécution. Je pressai le pas. Arrivé à cent mètres de ma maison, je vis mes fenêtres éclairées. Cela me fit un drôle d'effet. Je me réfugiai dans l'ombre des arbres qui bordaient ma rue et continuai à avancer, le plus silencieusement possible, en direction de mon domicile. J'avais l'intention de m'assurer de l'identité de mon impudent visiteur, en collant un œil à ma fenêtre.

Brusquement, je vis quelque chose qui m'immobilisa. A quelques mètres de ma porte, se dressait une haute silhouette surmontée d'un couvre-chef dont la forme réglementaire n'était que trop reconnaissable.

Une voiture de police était rangée à côté de la mienne et un autre policeman se tenait appuyé contre ma Mercury.

Je m'abritai derrière le tronc d'un gros chêne, juste au moment où un lourd véhicule arrivait, les phares braqués dans ma direction. C'était un camion-remorque. Celui-ci se rangea devant ma voiture et ma porte s'ouvrit alors, livrant passage au capitaine Kruslov, escorté d'un petit bonhomme malingre. Le policier s'avança dans l'allée et je pus entendre la fin de sa phrase.

— ... Bird peut continuer seul à fouiller l'appartement. Vous, Danny, vous allez partir avec la voiture et veiller à ce qu'on s'occupe de la malle immédiatement. Voyez si on peut trouver quelque chose d'autre.

Ce mot « autre » me glaça le sang. Je pus voir un type passer une chaîne autour de mon pare-chocs avant, puis le petit bonhomme malingre grimper dans le camion-remorque qui s'ébranla, ma voiture brinqueballant derrière lui.

Kruslov regarda s'éloigner les deux véhicules. Soudain, Mme Speers apparut sur le seuil de mon appartement, un châle enroulé autour de ses épaules.

— Vous avez emmené la voiture de Mr. Sewell ? s'enquit-elle d'une voix aigre.

— Oui, Madame, répliqua Kruslov placidement.

— Mr. Sewell va être très en colère.

— Je m'en doute, Madame. Vous m'avez dit qu'il était allé faire un tour. C'est exact, n'est-ce pas ?

— Bien sûr que c'est exact, sinon je ne vous l'aurais pas dit. Je me demande de quel droit vous vous êtes introduits chez lui et vous lui avez emmené sa voiture.

— Nous avons un mandat, Madame. Ce que nous avons fait est légal.

— C'est peut-être légal, mais ce n'est pas correct. C'est un très gentil jeune homme.

— Mme Speers, est-ce que cela vous ennuierait que je vous pose quelques questions au sujet de dimanche dernier ?

— Non, pas du tout. Mais si vous croyez que...

— Vous avez dit que Mr. Sewell avait rempli son coffre d'emballages vides et les avait emmenés au dépôt municipal. Ça vous ennuierait de me dire ce qu'il a mis exactement dans son coffre ?

— Des boîtes de conserves vides, des bouteilles et des ordures. Mais pourquoi donc est-ce que notre ville ne ramasse pas toutes les ordures, comme ça se fait ailleurs. Je ne comprends pas que...

— Je veux dire, Madame, dans quoi se trouvaient ces boîtes et ces bouteilles ? Dans des cartons ?

— Il y avait un carton et puis aussi un grand morceau d'étoffe plein d'ordures.

— Quelle était la grandeur de ce morceau de tissu ?

— Oh ! je ne sais pas. A peu près comme une couverture. Il la tenait par les quatre coins, comme un sac.

— Est-ce qu'il la portait comme si elle était lourde ?

— Evidemment qu'elle était lourde. Elle était pleine d'ordures.

— Est-ce que le corps de Miss Olan aurait pu se trouver dedans ?

J'entendis distinctement l'exclamation de la vieille dame et je n'eus pas de peine à me représenter l'expression de son visage.

— Pourquoi me posez-vous une question aussi ridicule ? Vous perdez la tête.

— Non, Madame, je ne perds pas la tête.

— Je n'en suis pas aussi sûre que vous. Pourquoi

ne courez-vous donc pas après les dangereux crimi-
nels au lieu d'embêter ce pauvre Mr. Sewell ?

— Parce que nous pensons que Mr. Sewell est un
dangereux criminel, Madame.

— C'est impossible !

Kruslov poussa un profond soupir. Brusquement,
la radio de la voiture de police se mit à émettre des
sons barbares et le policeman de faction se précipita
vers le véhicule. Au bout de quelques instants, il se
tourna vers Kruslov :

— Rien encore, Capitaine, annonça-t-il.

— Vous êtes en train de commettre une erreur
épouvantable, s'entêta Mme Speers.

La loyauté de la brave femme me toucha.

— Nous verrons, éluda Kruslov.

— Qu'est-ce qui vous fait croire qu'il a fait une
chose pareille ? J'avais senti l'irritation croissante de
Kruslov. Mme Speers avait une voix perçante, indi-
gnée, et lui-même avait trop peu dormi. Il déclara
durement :

— Madame, je ne sais pas ce qui a pu le pousser à
faire une chose pareille. Tout ce que je sais, c'est que
nous avons examiné sa voiture aujourd'hui, à l'usine ;
qu'un expert en a ouvert la malle et qu'il y a trouvé
une boîte de conserves vide. Il y avait un fil blanc
accroché au couvercle déchiqueté de cette boîte. Les
gars du labo ont dit que ce fil provenait de la jupe de
Miss Olan. Maintenant, pourquoi ne rentrez-vous
pas chez vous ?

Mme Speers était convaincue. Elle s'en alla sans un
mot. Moi aussi, j'étais convaincu. Je me souvenais à
présent de cette boîte que j'étais allé récupérer sur la
pente et que j'avais jetée dans mon coffre. Si je
m'étais rappelé plus tôt la promesse que j'avais faite
à Mme Speers au sujet de ses ordures, la boîte se
serait trouvée à présent dans la fosse du Dépôt
Municipal, et le fil blanc avec. Peut-être y avait-il une

morale là-dedans, mais ce n'était guère le moment de m'y attarder. Je me tenais caché derrière mon arbre, me sentant aussi nu qu'au jour de ma naissance.

Un homme portant une boîte noire apparut sur le seuil de mon appartement.

— Vous avez fini, Bird ? s'informa Kruslov.

— Oui, Capitaine, acquiesça l'autre.

Kruslov se tourna vers le policier de faction :

— Vous allez entrer dans l'appartement et y rester, la porte fermée et les lumières éteintes. Arrangez-vous pour ne pas vous endormir. Moi, je vais m'en aller. Si les autres voitures ne l'ont pas déjà trouvé, vous lui mettrez la main au collet quand il rentrera. Ne prenez pas de risques. Passez-lui les menottes et attachez-le à un radiateur pendant que vous nous téléphonerez. Je parie à dix contre un qu'il est allé dans un cinéma ou dans un bar. S'il était encore en train de se balader, on l'aurait déjà ramassé.

Kruslov et son subordonné grimpèrent dans la voiture et démarrèrent. Le policier demeura un moment sur le pas de ma porte, tira de sa poche un cigare, l'alluma puis entra chez moi. Les lumières s'éteignirent. Je m'efforçai d'ébaucher une idée constructive, mais mon cerveau refusait de fonctionner. Si je me montrais, il me faudrait expliquer pourquoi, après avoir trouvé le cadavre, je m'en étais débarrassé. Mon acte ressemblait fort à un aveu de culpabilité. Je continuai à m'asticoter la cervelle en me demandant pourquoi je n'avais pas laissé ce cadavre où il était. Comme on le voit, ce n'était guère une idée constructive.

La peur s'installait en moi, plus forte de minute en minute. J'avais envie de m'enfuir dans la nuit. De m'en aller loin, très loin, là où Kruslov et ses hommes ne pourraient plus me rattraper.

Je songeai à tous les gens que je connaissais et je

115

ne pus en trouver que deux qui fussent capables de m'écouter et de me croire. Tory Wylan et Toni Mac Rae. Tory, hélas, était loin, mais Toni était là, tout près.

Furtivement, comme un voleur, je me glissai, par le jardins, jusque derrière la maison où logeait ma secrétaire. En me maintenant à l'abri des futaies, je scrutai les fenêtres éclairées de la grande bâtisse. J'avais une envie folle de crier : « Toni ! Toni ! » Un cri de terreur. Un appel au secours. Comme celui d'un enfant dans la nuit.

Soudain, je la vis, à une fenêtre du second étage. Vêtue d'un peignoir jaune, elle était en train de dénouer la masse sombre de ses cheveux noirs. Je me baissai et ramassai trois petits cailloux. Le premier alla frapper le mur, à côté de la croisée. Le second atterrit avec un bruit sec dans la vitre. Toni apparut à la fenêtre. Je lançai alors mon troisième caillou qui, lorsqu'il atteignit son but, fit sursauter la jeune fille. Prenant ensuite mon briquet, je le plaçai près de mon menton et l'allumai.

Toni demeura là, sans bouger. Je pouvais deviner ce qui se passait dans sa tête : le patron essayait maintenant d'obtenir sa récompense. Je devinais sa colère — bien que je sus, je ne sais trop comment, que la curiosité la ferait descendre et que, d'autre part, elle ne pourrait pas résister à l'envie de m'exprimer son indignation. Enfin, elle s'éloigna de la fenêtre. Lorsqu'elle réapparut, elle était habillée. Elle jeta encore un coup d'œil par la vitre et, deux minutes plus tard, elle surgissait dans le jardin.

Lorsqu'elle fut à quelques mètres de moi, elle dit, d'une voix forte qui me parut pouvoir être entendue de toute la ville :

— Mr. Sewell, que croyez-vous que vous êtes en train de faire, exactement ?

— Chut, je vous en prie !

116

Elle dut sentir dans quel émoi je me trouvais, car elle se rapprocha de moi et murmura :

— Que se passe-t-il donc de si grave ?

— La police me recherche, Toni. Ils veulent m'arrêter pour le meurtre de Mary Olan.

— C'est absolument idiot. Vous ne pourriez tuer personne.

— Je vous en prie, Toni, n'élevez pas la voix comme ça. Je ne l'ai pas tuée. Mais je vais vous dire ce que j'ai fait. Je l'ai trouvée morte dans mon placard samedi matin et alors j'ai mis son cadavre dans ma voiture et je l'ai laissé là où on l'a trouvé. Maintenant, ils peuvent prouver que j'ai fait ça. Et s'ils peuvent prouver ça...

— Mon Dieu ! Clint ! Qu'avez-vous fait là ! Quel fou vous avez été !

— Je sais, je sais. J'ai été stupide, mais maintenant je ne peux pas revenir en arrière.

— Vous feriez mieux d'aller les trouver tout de suite et de leur raconter ce que vous avez fait exactement.

— Vous ne savez pas tout. Vous ne savez pas à quel point je suis dans le pétrin.

— Vous ne pouvez pas leur dire la vérité ?

— Je ne l'ai pas fait depuis le début. Maintenant, je n'ose plus.

— Qu'est-ce que vous attendez de moi ?

— Cela va vous paraître idiot. Mais je ne sais pas ce que j'attends de vous. Je voulais simplement parler à quelqu'un. Je voulais simplement vous en parler. C'est stupide, je m'en rends compte. Ne m'en veuillez pas.

Elle baissa les yeux et fixa longuement le sol :

— Si vous vous enfuyiez et que vous vous cachiez, ce serait encore pire.

— Je le sais bien ! Mais que puis-je faire ? Je ne

peux pas continuer à rester ici. Je voudrais bien pouvoir vous raconter toute l'histoire.

— Sans aucun mensonge ? Sans en laisser une partie de côté ?

— J'en ai assez des mensonges, Toni. J'en ai soupé, bien soupé. Ils ne rapportent rien.

— Vous devriez aller tout de suite voir la police.

— Nous ne pouvons pas discuter de ça ici.

Elle se tourna pour jeter un coup d'œil vers la maison.

— Je ne veux pas vous compromettre, Toni, dis-je.

— Taisez-vous une minute. Vous avez votre voiture ?

— Les flics l'ont emmenée.

— Je suppose que votre maison est surveillée ?

— Il y a un type là-bas qui attend que je rentre. Ils croient que je suis parti faire un tour et ils patrouillent à ma recherche.

— Vous pouvez venir dans ma chambre à condition que vous fassiez exactement ce que je vous dis.

— Je ne veux pas vous compromettre.

— Je suis déjà compromise. Maintenant écoutez-moi. Il y a un escalier de service sur le derrière de la maison. Retirez vos chaussures et suivez-moi.

Je m'exécutai. Elle me précéda dans le petit vestibule et escalada les marches avec bruit, tandis que je lui emboîtai silencieusement le pas. Lorsque nous fûmes sur le palier du second étage, elle ouvrit la porte de sa chambre, me fit entrer chez elle et glissa derrière moi. Après avoir fermé la serrure à double tour, elle alla baisser les stores puis me désigna un fauteuil. Je m'y laissai tomber de tout mon poids.

Ce ne fut qu'au bout d'un moment que je trouvai la force de regarder autour de moi. La pièce en elle-même était d'une laideur banale, mais Toni s'était

118

donné du mal pour la rendre agréable et coquette. Un lit à deux places dominait le reste du mobilier. Deux petites lampes voilées d'un abat-jour opaque donnaient un éclairage qui remédiait au vert triste des murs. Une petite bibliothèque d'angle, un casier à revues en bois clair, quelques reproductions de peintures modernes conféraient à l'ensemble une petite note personnelle et intime. Toni déposa un cendrier à côté de moi, puis plaça une chaise devant mon fauteuil et s'y assit, si près que nos genoux se touchaient presque. Elle se pencha en avant et murmura.

— Parlez très bas, Clint. Ma logeuse me flanquerait dehors ce soir-même si elle savait qu'il y a un homme chez moi.

— Très bien. Je vais tout vous raconter depuis le commencement.

— Pas depuis le moment où vous avez trouvé son cadavre dans le placard. Depuis le vrai commencement, c'est-à-dire le jour où vous l'avez rencontrée.

Il y avait une sorte d'avidité dans les yeux noirs de Toni. Elle voulait tout savoir. Aussi lui racontai-je tout ce qu'il y avait à raconter. Cela me prit pas mal de temps. Une ou deux fois seulement, elle m'interrompit pour me poser une question. Lorsque j'eus terminé, elle me regarda en essayant de sourire, puis rougit et détourna les yeux. Sa rougeur soulignait l'étrangeté de notre situation présente.

Je me penchai vers elle à mon tour :

— Maintenant, croyez-vous que je doive me présenter à la police ?

— Je ne sais pas. Je ne sais pas.

— Pendant qu'ils me cherchent, il ne recherchent pas l'assassin véritable.

— Je sais, mais le rechercheront-ils davantage, une fois qu'ils vous auront ?

— J'en doute.

— Quelqu'un l'a tuée, pourtant, Clint.

— Je sais.

— Mr. Raymond ?

— Je ne crois pas. C'est un homme beaucoup trop froid, trop dur, sous son apparente désinvolture. Il ne ferait pas une chose comme celle-là. Pourquoi l'aurait-il tuée ? Il était arrivé à ses fins et il savait parfaitement qu'elle coucherait de temps en temps avec lui.

— Tout cela est si... écœurant, fit-elle en relevant les yeux.

— Plutôt.

— Clint, je ne crois pas que vous deviez encore vous montrer.

— Alors que dois-je faire ?

Elle rougit encore un peu plus :

— Vous pouvez rester ici ce soir. Demain, j'essaierai de savoir... jusqu'à quel point leur conviction est faite. S'ils ne sont pas complètement sûrs de votre culpabilité, vous irez les trouver. S'ils pensent vraiment que vous êtes l'assassin, alors il faudra que vous partiez. Je peux me débrouiller pour vous faire partir. Je sais que je le peux.

Fut-ce à cause de la façon dont elle avait dit ça ? Ou de la façon dont elle me regardait ? Ou tout simplement à cause de ce qu'elle était et que je découvrais subitement ? Toujours est-il qu'en cette minute, il se passa quelque chose en moi. Exactement la même chose qui, à en croire les livres, est censée arriver à tout le monde.

Une minute auparavant, ce n'était qu'une belle fille dotée d'une bonne dose de cervelle et de plus de qualités que la plupart de ses semblables et puis, tout à coup, c'était Toni Mac Rae. Ni un passe-temps, ni un béguin, ni même un refuge pour se soir-là. C'était Toni. Une part de ma vie. Toute ma vie.

Elle était devenue soudain irremplaçable, indis-

120

pensable, aussi nécessaire pour moi que mes poumons, mes jambes ou mon sang. Je ne trouve pas d'autre moyen pour m'expliquer.

Je demeurai là, à la contempler. Elle était à mes yeux comme un miracle. Ses lèvres, ses jambes, ses yeux, sa poitrine — autant de miracles pour moi.

Elle était encore toute rouge :

— Quand je vous dis que vous pouvez rester ici, ça ne veut pas dire que...

— Je sais.

— Comment, vous savez ?

— Depuis une minute, comme ça, tout d'un coup, je sais ce que vous allez dire avant même que vous prononciez une parole. Nous pourrions soutenir toutes les conversations possibles sans avoir besoin de nous servir d'un seul mot. Vos yeux sont merveilleux.

— Pas si fort, protesta-t-elle.

— Excusez-moi.

Je m'installai à ses pieds, à même le plancher et lui pris la main. Elle essaya de la retirer, puis la laissa inerte, dans la mienne.

— Toni, dis-je. Toni.

— Pas si fort.

— Vous savez, ça ne fait aucune différence pour moi si vous m'enfermez dans votre salle de bains ? Ou si vous me faites dormir sous le lit. Une nuit, ça ne compte pas. Nous en avons dix mille devant nous.

— Est-ce que vous êtes devenu fou ?

— Je vous ai dit ça, mais au fond, je n'en suis pas sûr. Alors, répondez-moi. Qu'est-ce qui pourrait nous empêcher de nous marier, Toni ?

— Nous empêcher de nous... quoi ?

— De toute façon, c'est déjà un fait accompli. Alors, il faut bien qu'on signe un papier pour être en règle. Toni, Toni.

Elle dégagea sa main :

— Quoique vous puissiez en penser, ce n'est pas drôle, Mr. Sewell.

— Je sais que ce n'est pas drôle. Toni, je n'ai pas commencé par le commencement. Mais je suis encore tout désorienté. Commençons donc par où il faut commencer. Je vous aime.

— Oh! bien sûr, fit-elle dubitativement.

— Ça m'a pris tout d'un coup. Vous étiez assise là, telle que vous êtes, miraculeusement parfaite, et mon amour pour vous m'est apparu brusquement, comme s'il m'était tombé sur la tête.

— C'est simplement parce que...

Je me remis sur pied :

— Simplement, parce que vous m'avez proposé de rester ici? Oui, bien sûr. C'est mon truc habituel. Je dis ça à toutes les filles qui acceptent de me cacher chez elles pour m'éviter de me faire choper par les flics. Etant donné que vous n'avez pas de feu ici, je ne peux pas y mettre la main pour prouver ma sincérité. Tous les serments que je pourrais vous faire ne vous convaincraient sans doute pas. En fait, le seul moyen dont je dispose pour vous forcer à me croire, c'est de m'en aller d'ici. Préparez-moi donc un colis et confiez-le au geôlier. Ils ne pourront pas électrocuter Sewell. Il faudra d'abord qu'on le marie. Tout à coup, je reprends confiance. Même Kruslov m'aime.

Je me dirigeai vers la porte, l'ouvris et je m'avançais déjà sur le palier lorsque Toni m'attrapa par le bras avec une force surprenante et me tira en arrière. Son visage était comme de la craie. Elle referma la porte et s'appuya contre le battant, les yeux clos. Peu à peu les couleurs lui revinrent. Elle rouvrit les yeux, me fixa longuement, puis s'avança vers moi, à petits pas.

— C'est vrai? murmura-t-elle.

— C'est vrai.

122

Elle mit ses mains sur mes épaules, leva sur moi, un regard encore incrédule, puis posa doucement, comme avec ferveur, ses lèvres sur les miennes. Elle paraissait si fragile, si vulnérable que j'en étais bouleversé. Lorsque nos bouches se séparèrent, elle plaça sa tête contre ma joue et nous demeurâmes ainsi étroitement enlacés, dans un monde qui n'appartenait qu'à nous. Soudain, je la sentis frissonner dans mes bras.

— Qu'y a-t-il ? murmurai-je.

— Je ne sais pas. Il y a si longtemps... La... c'est la glace qui fond peut-être.

Elle se rejeta en arrière pour m'adresser un sourire, mais celui-ci se trouva noyé aussitôt dans un flot de larmes. Se dégageant alors de mes bras, elle alla se jeter en travers de son lit et continua à sangloter, la tête dans la couverture. Je m'assis à côté d'elle sans oser la toucher.

J'étais déjà envahi par un doute affreux. Peut-être ne m'aimait-elle pas. Peut-être ne partageait-elle pas mon amour. Enfin, ses pleurs se calmèrent et, se retournant sur le lit, elle m'attira vers elle. Ses baisers étaient entrecoupés de mots. Des mots merveilleux à entendre. Il y avait six mois qu'elle avait commencé à m'aimer, six mois qu'elle attendait, sans beaucoup d'espoir.

Nous restions étendus l'un contre l'autre, sa bouche toute proche de la mienne, ses yeux plongés dans les miens. Mes mains étreignaient sa taille. Chaque fois qu'elle respirait, j'aspirai son haleine de tous mes poumons. Nous nous répétions combien c'était merveilleux. Peu à peu, nos baisers devenaient plus passionnés, nos gestes plus fébriles. Brusquement, je réalisai que nous avions abordé une pente dangereuse et je m'écartai d'elle.

Nous nous affairâmes à me confectionner un lit, à l'aide de couvertures et d'un drap étendu à même le plancher. J'étais déjà bien bordé lorsqu'elle sortit de la salle de bains. Dans son pyjama bleu pâle, elle avait l'air d'une écolière. Elle éteignit la lumière, puis vint s'agenouiller près de moi pour m'embrasser.

— Dormez bien, chéri, souffla-t-elle tout contre ma joue. Son odeur était celle des jardins de mon enfance, mêlée d'un soupçon de Pepsodent. Je glissai mon bras autour de sa taille, mais elle se recula un peu.

Puis, brusquement, elle eut un petit gémissement étouffé et se laissa aller contre moi.

C'était un risque stupide que nous prenions là, né de notre impatience et de notre avidité. Ç'aurait pu être banal. Ça aurait pu gâcher bien des choses.

Mais ce fut magique.

8

Je m'éveillai, le lendemain matin, dans le grand lit, sans aucun sursaut de dépaysement. Je savais où j'étais et pourquoi j'y étais. Je savais que Toni était à côté de moi.

Je me retournai avec précaution. La couverture lui recouvrait l'épaule et remontait jusqu'à son menton. Une mèche brune lui barrait la joue. Son visage était lisse, velouté, sans aucun pli, ni aucune ride.

Brusquement, le réveil, placé à côté de moi sur la table de nuit, se déclencha avec un bruit effroyable. Sans ouvrir les yeux, Toni étendit le bras pour l'arrêter. Au contact de mon corps, elle poussa un cri de frayeur et promena autour d'elle un regard effaré. Ce fut moi qui mis un terme à la sonnerie débridée de l'engin. Lorsque je me retournai vers elle, elle avait refermé ses paupières.

— Ne me regarde pas, murmura-t-elle.

— Mais j'aime te regarder.

— Je t'en prie. Je me sens tellement gênée.

Je l'embrassai et tentai de la prendre dans mes bras. Elle me repoussa doucement.

— Va dans la salle de bains, souffla-t-elle.

Je récupérai mes vêtements et obéis. J'étais déjà presque complètement habillé, lorsqu'elle frappa à la porte et entra. Elle n'osait pas me regarder en face.

Je la pris par les épaules et la secouai gentiment :

— Toni ! Qu'est-ce qu'il y a ?

— Je... J'ai honte.

Je lui relevai le menton du bout des doigts :

— Il ne faut pas. Embrasse-moi pour me dire bonjour.

Elle me laissa lui prendre les lèvres, mais évitait toujours de me regarder. Ce ne fut que lorsqu'elle fut habillée qu'elle parut avoir recouvré quelque assurance.

— Ne me fais pas croire que nous avons commis une faute, plaidai-je.

Elle protesta alors avec feu :

— Non, Clint chéri, nous n'avons pas commis une faute. Je suis sûre que non. Mais, si tu veux tout savoir... eh bien ! c'est la première fois que je me réveille à côté d'un homme. Je sais que c'est stupide, mais ça me fait un drôle d'effet. Et Clint...

— Quoi donc ?

— Je ne veux pas que nous recommencions jusqu'à ce que... tu comprends.

— D'accord.

Elle me regarda dubitativement :

— Bien vrai ?

— Tu es adorable, Toni.

— Maintenant, il faut que j'aille travailler.

— Ton patron ne sera pas là ce matin.

Elle me posa un doigt sur les lèvres et me passa quelques consignes : ne pas faire de bruit pendant qu'elle n'était pas là, ne pas marcher parce que le plancher craquait ; ne pas faire couler l'eau, ne pas relever les stores, ne pas tousser ni éternuer ; enfin, ne pas faire de sieste si je ronflais.

— Est-ce que je ronfle, Toni ?

Elle détourna les yeux.

— Bon, fis-je, je vais rester éveillé... à t'attendre

en quelque sorte, mais je t'avoue que j'aurais volontiers piqué un somme.

Elle s'en alla et je demeurai seul, seul pour la journée, dans le petit logement. J'entendis des gens s'agiter dans la maison, monter et descendre les escaliers, manier divers ustensiles. J'entendis le vrombissement d'un aspirateur, puis les borborygmes d'une radio mal réglée. Les minutes s'écoulaient, interminablement. De plus, la faim commençait à me tenailler. Je me sentais creux des pieds à la tête. Je tentai d'apaiser mes crampes d'estomac en mastiquant une serviette à démaquiller, mais le résultat fut quasiment nul.

Heureusement, pour tromper mon désœuvrement, il me restait la ressource de penser à Toni. A ses beaux seins fermes, à sa taille flexible, à sa bouche tiède et douce. A tous ces trésors qui étaient à moi pour toujours.

*
**

A trois heures dix-sept, j'entendis, sur le palier, une voix que je n'eus pas de peine à reconnaître. C'était celle de Paul France.

— Je sais que c'est un peu délicat, Mme Timberland, disait-il, mais Miss Mac Rae a ramené ces papiers du bureau pour y travailler chez elle et nous en avons justement besoin cet après-midi. Elle m'a dit qu'elle était d'accord pour que vous m'ouvriez la porte et que vous me surveilliez si vous vouliez, pour être certaine que je ne vole rien.

Il éclata de rire et la femme s'esclaffa en même temps.

Une clé fourragea un instant dans la serrure puis la femme constata.

— C'est bizarre, je n'arrive pas à introduire cette clé.

— Laissez-moi essayer, voulez-vous ?

La clé que j'avais laissée sur la porte, à l'intérieur, tomba avec bruit sur le plancher. Je sortis alors de ma stupeur, mais il était trop tard pour me réfugier dans le placard. Le battant s'ouvrit brutalement et Paul France apparut, un sourire aux lèvres. La logeuse, une vieille femme au mufle de bouledogue, me fixa avec une indignation outragée.

— Qu'est-ce que vous faites sous mon toit ? demanda-t-elle.

France lui toucha gentiment l'épaule :

— Laissez, laissez, Mme Timberland. Je vais m'occuper de ça. Je vous garantis que, dans cinq minutes, je l'aurai fait déguerpir d'ici. Nous ne pouvons pas tolérer une chose pareille, n'est-ce pas ?

Il adressa un sourire à la vieille femme puis entra dans la pièce et referma la porte. La logeuse demeura un instant immobile, de l'autre côté du battant, puis s'éloigna d'un pas traînant :

Souriant toujours, le détective commenta :

— Toute la police de la ville est sur les dents et vous vous cachiez à deux pas de chez vous. Nom d'un chien !

— Comment m'avez-vous trouvé ?

— Mr. Wills, votre directeur, m'a autorisé à visiter l'usine. Y compris votre bureau. Lorsque j'ai commencé à fouiller dans vos tiroirs, la ravissante jeune personne qui vous sert de secrétaire s'est mise à manifester de l'agitation. Beaucoup trop d'agitation. Alors, je l'ai regardée de plus près. Et je lui ai trouvé un air bizarre. Une de ces expressions à la Jeanne d'Arc comme en arborent les demoiselles qui viennent de faire un grand sacrifice. Lorsque l'on m'a donné son adresse, ma conviction fut presque faite.

— Qu'est-ce qu'on va faire maintenant ?

— Le vaillant détective va vous emmener, afin de toucher sa prime.

— Vous croyez que c'est moi qui l'ai tuée?

— Eux, ils le croient, en tout cas.

Je m'avançai vers lui, sans d'ailleurs aucune intention particulière. Il recula un peu et son sourire s'effaça :

— Je vous conseille de ne pas faire le malin, Sewell. Je peux vous garantir que vous rateriez votre coup.

Il avait tort d'être aussi sûr de lui car, involontairement, il me donna une chance que je n'attendais même pas. Il me fit passer devant lui pour sortir et, au moment où je lui tournais le dos, j'entendis un léger craquement. Je compris qu'il s'était penché pour ramasser la clé sur le sol. Je donnai alors un grand coup de pied en arrière. J'avais fait ça sans grand espoir de succès, un peu dans l'état d'esprit d'un gosse qui shoote dans le mur quand on vient de le mettre au coin. Je sentis un léger choc contre mon talon, suivi d'un bruit de chute retentissant. Je me retournai. France gisait la face contre terre, ses lunettes à quelques pas de sa tête. Au moment même où je le regardais, il poussa un grognement et bougea le bras droit. Je ramassai vivement la clé, sortis de la pièce et refermai la porte à double tour derrière moi.

Mme Timberland se tenait en sentinelle dans le vestibule, les bras croisés et le menton haut.

— Dites à votre amie qu'il lui faudra loger ailleurs, à partir de ce soir.

Je ne répondis pas. Comme je sortais de la maison, j'entendis France qui martelait à grands coups de poings la porte de la chambre. Je m'éloignai à grands pas et jetai la clé dans un buisson.

Le monde me parut soudain différent. Mes relations nouvelles avec Toni m'avaient, depuis la veille, rempli d'une bonne dose d'optimisme. De faux optimisme. Je m'étais laissé entraîner à croire que la justice existait, que Kruslov m'écouterait et que tout s'arrangerait.

Mais ma confiance était demeurée là-haut dans la chambre. Même quand je dégringolais les escaliers, je projetais encore d'aller me présenter à la police. Mais ce projet s'évapora au soleil. Je me rendis compte que si j'allais trouver les flics, ceux-ci s'empresseraient de me coffrer, trop contents de m'avoir enfin mis la main dessus. Dans l'euphorie de mon amour tout neuf, j'avais perdu toute objectivité. Toni avait été plus lucide que moi quand elle avait parlé d'essayer de me faire partir. Je savais à présent qu'il ne me restait pas d'autre solution. Mais je n'avais qu'une vingtaine de dollars en poche et, pour tout bagage, les vêtements que je portais.

Je décidai cependant de m'en aller. N'importe où, n'importe comment. Ensuite, je pourrais contacter Tory et lui demander de m'envoyer de l'argent quelque part, poste restante. Plus tard, je pourrais écrire à Toni pour qu'elle vienne me rejoindre. J'étais en pleine panique. Comme le soir où Yeagger m'avait attaqué, il me semblait que toutes les maisons avaient des yeux et que ces yeux étaient braqués sur moi.

Marchant aussi vite que je le pouvais, je me dirigeai vers le sud de la ville, sachant que je tomberais sur une route nationale. Je rasai les murs, essayant de dérober mon visage aux passants. Malgré moi, je ne cessais de jeter des regards derrière moi.

Bientôt, les maisons commencèrent à se raréfier, faisant place à des terrains vagues envahis d'herbes folles. De vieilles voitures stationnaient, par groupes de trois ou quatre, à côté de petites stations-service. Enfin, à cinq cents mètres devant moi, j'aperçus la route que je cherchais. Je pressai le pas, me forçant à retrouver quelque confiance.

Une fois sur la route, j'obliquai vers l'est. Des

130

voitures passaient à vive allure, leurs chromes étincelant dans le soleil. Je marchai encore pendant quelques centaines de mètres, puis je levai le pouce à l'adresse des véhicules, dans l'espoir que l'un deux me prendrait à son bord.

Il y avait déjà un bon quart d'heure que je faisais vainement de l'auto-stop, tout en continuant d'avancer, lorsque j'entendis une voiture arriver derrière moi. Je me retournai, le pouce levé et, sur les lèvres, un sourire forcé. C'était une voiture de la police routière. Je pirouettai précipitamment et réalisai, presque au même instant, que cette brusque volte-face allait peut-être justement éveiller des soupçons. La voiture continua sa route et, au moment même où je commençais à respirer, un brusque coup de freins fit grincer des pneus sur la chaussée. Je vis que le véhicule allait faire demi-tour, aussitôt que la circulation le lui permettrait. Je m'élançai sur le bas-côté de la route, sautai par-dessus une clôture et me mis à courir à travers champs. Juste comme j'allais pénétrer sous bois, un sifflement retentit au-dessus de ma tête. Une feuille coupée tomba en tournoyant.

Je plongeai sous l'abri des arbres et continuai à courir, en proie à une terreur folle. Des branches me lacéraient les joues. J'avais perdu tout sens de l'orientation. Je ne savais qu'une chose, c'est que j'avais derrière moi des gens qui voulaient me tuer. Brusquement, je butai contre une pierre et m'écroulai en avant. Je demeurai aplati au sol, l'oreille tendue. Un oiseau, non loin de moi, lançait une note stridente, toujours la même. Les bruits de la circulation me parvenaient, étouffés par l'épaisseur des feuillages.

Au bout d'un moment, je me relevai et repartis plus posément. Les bois se terminaient, pour faire place à un vaste champ au-delà duquel je pouvais apercevoir une petite route. J'inspectai prudemment celle-ci du regard puis, n'y voyant personne, je m'avançai dans le champ. J'étais à dix mètres à peine des arbres lorsqu'une voiture arriva. Elle stoppa un peu en retrait de moi sur la route et un homme en uniforme en sortit, qui se mit à fixer les bois. Je savais qu'il ne pouvait pas me voir, mais il avait l'air de regarder droit dans ma direction. Je le vis s'appuyer sur la clôture et allumer une cigarette, les yeux toujours braqués sur les arbres.

Je reculai jusqu'à l'orée des bois et parcourus une centaine de mètres sur une ligne parallèle à la route. Puis j'aperçus alors un autre type en uniforme qui attendait avec autant de patience que le premier. Il ne me fallut pas longtemps pour comprendre qu'il y en avait ainsi de tous les côtés autour de moi.

Je pensai alors à Toni et réalisai qu'en m'enfuyant, j'avais cédé à un mouvement de panique irréfléchie. Paul France ne manquerait pas d'informer la police de l'endroit où je m'étais caché et Toni était même peut-être déjà arrêtée, inculpée pour m'avoir donné asile.

Je sortis des bois, les mains en l'air, par le côté qui faisait face à la route nationale. Il y avait là trois voitures de la police routière et deux de celle de Warren. Kruslov aussi était là. On me tâta les poches puis on me poussa dans l'un des véhicules.

* *
*

A peine m'eut-on débarqué au Q.G. de la police que je fus fiché, photographié, fouillé de nouveau. On m'enleva tout ce que j'avais dans les poches, ainsi que ma ceinture, mes lacets et ma cravate, après quoi on me fourra dans un cachot humide. Une demi-heure plus tard, on me tira de ma cellule pour me conduire dans une petite pièce nue aux fenêtres munies d'épais barreaux.

132

Un jeune flic aux cheveux filasse reçut la mission de me garder. Il s'assit sur la table et se mit à mâcher de la gomme, tout en me fixant de ses yeux incolores. Je lui demandai une cigarette, mais il me répondit sèchement qu'il ne fumait pas.

Au bout d'un quart d'heure environ, Kruslov, Hilver, un policier en civil et un sténographe entrèrent dans la pièce en file indienne. Kruslov donna l'ordre à mon gardien de se retirer, puis quand tout le monde eut pris un siège, il se plaqua les mains sur les hanches et me regarda d'un air goguenard :

— Eh bien ! vous n'étiez pas allé bien loin. Bon sang ! Aller vous cacher chez votre petite amie et puis après essayer de mettre les voiles ! Pas très malin, Sewell.

— Où est-elle ?

— C'est moi qui pose les questions.

— Elle n'a rien à voir avec tout ça.

— Vous avez bien passé la nuit dans sa chambre ?

— Ça n'a aucun rapport avec cette histoire, Capitaine.

La main de Kruslov s'abattit sur ma figure avec une force telle que je faillis tomber de ma chaise. Il eut un sourire presque bienveillant :

— Je vais vous poser des tas de questions. Et je veux que vous répondiez à toutes. Je n'ai pour ainsi dire pas dormi depuis deux jours et je ne me sens guère porté à la patience. Je ne veux pas de réponses alambiquées. Je ne veux pas que vous jouiez les malins. Je veux que vous montriez un peu d'humilité, Sewell. Vous avez tué une femme et vous l'avez fait si adroitement que vous avez failli vous en tirer. Mais la police a été plus maligne que vous. Nous avons examiné le coffre de la voiture de tous les gens qui étaient en relations avec Miss Olan et nous avons découvert dans le vôtre la preuve que son cadavre s'y était trouvé. Vous avez essayé de vous tailler, mais vous n'avez pas couru assez vite, de sorte que, pour vous, les carottes sont cuites maintenant. Vous avez possédé Paul France, ce qui n'arrive pas souvent. Mais ça a été votre dernière chance. Maintenant, je vais vous poser des questions et vous allez y répondre. Pourquoi l'avez-vous tuée ?

— Je ne l'ai pas tuée.

Il me frappa de nouveau, au même endroit. J'essuyai du revers de la main le sang qui coulait de ma lèvre :

— Je veux un avocat, dis-je.

— Vous êtes ici uniquement pour subir un interrogatoire. Nous ne vous avons pas encore formellement inculpé. Lorsque vous le serez, vous serez autorisé à prendre un avocat. Naturellement, vous avez le droit de refuser de répondre à nos questions, mais nous continuerons à vous les poser. Lorsque je serai fatigué, un de mes collègues prendra la relève. Où l'avez-vous tuée ?

— Je ne l'ai pas tuée.

Cette fois, sa gifle me fit tomber de ma chaise. Les autres types observaient la scène sans manifester beaucoup d'intérêt.

— Cessez de faire l'idiot, Sewell. Vous savez que nous pouvons prouver que le corps de Miss Olan s'est trouvé dans votre voiture.

— Cela, je ne le nie pas.

— Ah ! voilà qui est mieux. Allons, continuons à montrer un peu de bonne volonté. Puisque vous admettez cela, alors vous admettez aussi l'avoir tuée ?

— Non, je ne l'ai pas tuée.

Il eut un bon sourire :

— Oui, je sais. Le cadavre vous est arrivé par la poste. Par courrier spécial. Ou bien encore, vous l'avez trouvé dans un fourré. Allons, Sewell, dites-moi donc où vous l'avez trouvé ?

— Quelqu'un l'a amené chez moi pendant que je dormais et l'a mis dans mon placard. Mary avait une clé de mon appartement. Je la lui avais donnée pour qu'elle puisse me réveiller le dimanche matin, lorsqu'elle viendrait me chercher pour aller au lac. C'est seulement après le départ de vos hommes que j'ai trouvé son corps. J'ai eu peur, alors je m'en suis débarrassé.

Il s'approcha de moi, m'empoigna à la gorge pour me faire lever de ma chaise et m'envoya dinguer contre le mur. Ma tête alla cogner durement sur la paroi. A travers le brouillard qui m'emplissait les yeux, j'entrevis son visage arborer un sourire aimable :

— Ainsi, vous l'avez trouvée dans votre placard. Comme ça, tout simplement.

— Oui, hoquetai-je.

Il eut un grognement de dégoût puis alla se réinstaller derrière la table.

— Asseyez-vous, Sewell.

— C'est la vérité, m'entêtai-je. Elle avait une ceinture à moi autour du cou. Une ceinture de tissu rouge. Je l'ai mise dans le tiroir de mon bureau ; vous pourrez la trouver. Et je suppose que vous voulez savoir aussi ce que j'ai fait de la couverture dans laquelle j'ai transporté le corps. Eh bien! je l'ai cachée dans une vieille souche, à peu près à cinquante mètres en arrière de l'endroit où j'ai laissé le cadavre de Miss Olan. Je sais que j'ai eu tort de faire tout ça. Mais j'avais peur. Je ne raisonnais pas de façon logique.

Kruslov racla la table du bout de ses doigts :

— Sewell, moi je vais vous dire comment ça s'est passé. Vous l'avez invitée à entrer chez vous et elle a accepté. C'était une allumeuse. Elle vous a énervé, excité et elle a refusé de se donner. Vous étiez ivre. Vous l'avez étranglée, vous l'avez mise dans votre

135

placard, puis vous êtes tranquillement allé vous coucher.

— Alors, et sa voiture, qu'est-ce que vous en faites ?

— Vous êtes parti avec et vous l'avez abandonnée.

— Et pour revenir, j'ai fait vingt-cinq kilomètres à pied ? De toute façon, si j'avais fait ça, pourquoi n'aurais-je pas emmené le corps en même temps que la voiture ?

— Vous étiez ivre. Vous ne saviez pas ce que vous faisiez. (Il se pencha en avant, souriant de nouveau.) Allez-y, Clint. Nous sommes tous des hommes. Nous connaissons la musique. Nous savons comment ces choses-là peuvent arriver. Bon sang ! Nous savons bien que ce n'était pas prémédité. Je veillerai personnellement à ce que vous écopiez du minimum. Parole !

— Je ne l'ai pas tuée. C'est quelqu'un d'autre qui l'a fait et qui a voulu me coller le meurtre sur le dos.

Kruslov se dressa et me balança sa main de l'autre côté de la figure. Je gardai à grand-peine mon équilibre et fixai le policier droit dans les yeux :

— Si vous pouviez tenir vos sacrées mains tranquilles, on irait peut-être plus vite.

Il riposta par une gifle plus magistrale que la première et je dégringolai de nouveau de ma chaise :

Le flic en civil intervint :

— Joe, laisse-moi seul une minute avec ce type.

— Okay, Bernie, acquiesça Kruslov. La petite troupe quitta la pièce et je demeurai seul avec le dénommé Bernie. Celui-ci commença par me donner une cigarette qu'il m'alluma :

— Ecoute-moi, fiston, dit-il d'un air bonasse. Le capitaine Kruslov est un bon policier, mais il a affaire, en général, à des crapules de la plus basse espèce. Je peux me rendre compte tout de suite qu'il n'a pas l'habitude de traiter avec des hommes comme toi. Mais ça ne lui fera pas changer ses méthodes. Il est infatigable. Il ne te lâchera pas. Il t'en fera voir de toutes les couleurs jusqu'à ce que tu aies vidé ton sac. Tout à fait entre nous, je crois que ce que tu aurais de mieux à faire, c'est de te mettre à table. Je le crois sincèrement.

— Vous pouvez aller au diable, fis-je. J'ai trouvé le cadavre dans mon placard et c'est tout ce que j'ai à dire.

Bernie n'était pas comme le capitaine Kruslov ; il ne se servait pas du revers de la main, mais de la paume. Je ripostai en lui envoyant mon poing droit entre les deux yeux. Il bascula sur la table, les jambes en l'air et s'écroula de l'autre côté, entraînant une chaise avec lui. Kruslov, Hilver et le sténographe réapparurent précipitamment. Bernie exigea qu'on me tienne pendant qu'il prendrait sa revanche, mais Kruslov lui ordonna de se rasseoir et de se taire.

L'interrogatoire recommença. Je m'entêtai obstinément à ne pas démordre de la vérité. Ils ne cessèrent d'essayer de m'embrouiller en me posant des questions à tour de rôle, en revenant plusieurs fois sur les mêmes, en jouant sur les mots dont je m'étais servi dans mes réponses. J'arrivai à me sentir dans un état de semi-hypnose. Leurs voix me faisaient l'impression de me pénétrer dans la tête. Je ne savais plus qui me questionnait ni ne m'en souciais plus. Tout ce que je savais, c'est que ça continuait encore, encore et encore.

Soudain, le silence tomba dans la pièce, un silence lourd qui me fit sortir de mon hébétude.

— Il est minuit, Joe, dit quelqu'un.

— Ouais, acquiesça Kruslov en bâillant bruyamment.

— Alors, qu'est-ce qu'on fait ?

— Laissez-le refroidir un peu. On recommencera plus tard. Ou peut-être que non. On en sait assez comme ça. J'en ai marre de voir sa sale gueule. Emmenez-le.

Les deux flics me firent lever sans douceur. Je titubais comme un homme ivre. Ils m'attrapèrent, l'un par le bras, l'autre par le col de ma veste et ils me ramenèrent ainsi jusqu'à ma cellule.

Etendu sur ma paillasse, je songeai à ce qui m'attendait si je ne pouvais faire la preuve de mon innocence. Ce n'était plus une plaisanterie. Pour la première fois, je réalisai pleinement qu'une femme était morte et je compris ce que cette mort signifiait. Les brutalités de Kruslov avaient eu au moins un résultat. Elles m'avaient fait prendre conscience de mes responsabilités — des responsabilités auxquelles je n'avais pas voulu faire face jusque-là. Il fallait que je découvre qui avait tué Mary Olan, qui avait essayé de me coller sa mort sur le dos. Cette affaire était mon affaire. Kruslov en avait trop pris à son aise avec moi. J'avais assez ri comme ça.

9

Je passai toute la journée du jeudi en prison. Vers le soir, au moment où le jour pâlissait derrière les barreaux de mon soupirail, Kruslov entra dans ma cellule, un journal à la main.

— Eh bien! mon garçon, annonça-t-il d'un air aimable, le bureau du D.A. a donné son accord pour que nous entamions les poursuites. Maintenant, vous êtes inculpé.

— Qu'est-ce que ça veut dire?

— Ça veut dire que vous allez passer en jugement et que, maintenant, vous pouvez prendre un avocat. Vous avez assez d'argent pour en engager un bon, n'est-ce pas?

— Je suppose.

— Si j'étais vous, je prendrais Jerry Hyers. Il est très fort. Si vous voulez, je lui passerai un coup de fil.

Son attitude m'inquiéta quelque peu. Il avait l'air détendu, amical.

— Je ne sais pas encore à qui je vais m'adresser.

— Je vous donne un bon tuyau. Ne soyez pas méfiant. Vous n'êtes pas un tueur, je le sais bien. Vous êtes simplement tombé sur la fille à éviter. Tout aurait été tellement facile, hier soir, si vous vous étiez mis gentiment à table.

— Foutez-moi la paix, Kruslov.

— Okay. Faites la mauvaise tête tant que vous voudrez. Qu'est-ce que vous avez à me reprocher ? Je fais mon métier, c'est tout. Je le regardai droit dans les yeux et j'articulai, aussi fermement que je le pus :

— Ce n'est pas moi qui ai tué cette fille.

Il se mit à rire :

— Laissez tomber, Sewell. Gardez votre boniment pour le procès. Vous en aurez besoin à ce moment-là. Alors, est-ce que je téléphone à Jerry Hyers ?

— Si vous voulez. Téléphonez-lui. Je lui parlerai.

— Enfin, vous voilà un peu plus raisonnable. (Il me tendit son journal.) Tenez, lisez ce qu'on raconte sur vous.

Aussitôt Kruslov sorti, je me plongeai dans la lecture du quotidien. Une photo de moi, prise le soir de mon arrestation, y occupait une page entière. J'avais, sur ce cliché, une figure parfaite d'assassin.

L'article était des plus décourageants. Le journal m'avait déjà jugé et déclaré coupable. Il donnait une version des faits aussi détaillée que fantaisiste. D'après le rédacteur de ce brillant compte rendu, nous nous étions promenés, Mary et moi, dans sa voiture jusqu'à ce qu'elle se sentît mieux, ensuite de quoi nous étions revenus au Club chercher ma propre automobile. Chacun au volant de son véhicule, nous étions repartis en direction de la ferme Pryor et, en arrivant près de Highland, j'avais fait signe à Mary de s'arrêter. Je l'avais alors forcée à monter dans ma voiture puis je l'avais ramenée chez moi. Il était à ce moment-là quatre heures du matin, conformément au témoignage de Mme Speers, ma logeuse. Ensuite, j'avais tenté de posséder Mary puis, comme elle se refusait, je l'avais tuée. Après cela, j'avais ramené ma voiture au Club et j'avais regagné à pied mon domicile. C'était évidemment insensé, mais cela me fit passer des frissons dans le dos. D'autant que — je

140

m'en rendais bien compte — la ceinture, la couverture, la boîte de conserves vide et le fil blanc allaient constituer, dans l'esprit du public, de sérieuses preuves contre moi.

Le lendemain matin, la première visite que je reçus fut celle de Willy Pryor. Il paraissait avoir vieilli depuis la dernière fois que je l'avais vu. Il était toujours aussi hâlé et viril, mais il branlait un peu du chef et son regard était comme terni. L'entretien que nous eûmes fut le plus inimaginable que j'eusse jamais eu avec quiconque pendant toute ma vie.

— Mr. Pryor, fis-je, je veux que vous sachiez que ce n'est pas moi qui ai tué votre nièce.

— Mary était une dévergondée, Mr. Sewell.

— Je ne l'ai quand même pas tuée.

— Lorsque ma sœur est tombée malade, Myrna et moi nous avons fait tout ce que nous avons pu pour cette petite. Nous avons essayé de lui recréer un foyer. Un bon foyer chrétien. Nous lui avons appris à discerner le bien du mal. Mais le démon était en elle. Nous n'y pouvions rien, je suppose. C'était une créature du Malin.

— Je n'irai pas jusqu'à dire ça.

— Elle ne vivait que pour le plaisir et la luxure. Vous devez bien le savoir, Mr. Sewell. Vous avez certainement eu des relations charnelles avec elle.

— Non, vous vous trompez. Nos relations n'ont jamais dépassé le stade du flirt le plus anodin. Je crois que vous la sous-estimiez, Mr. Pryor.

Il me dévisagea longuement. Sa figure était empreinte d'une sévérité patriarcale que je ne lui avais encore jamais vue.

— Ainsi vous niez avoir été son amant, Mr. Sewell ?

— Absolument. Et je ne l'ai pas tuée non plus.

— Elle est morte damnée pour l'éternité. Elle tenait de son père, Mr. Sewell. Lui, c'était un démon. Elle avait des aventures avec des tas d'hommes. J'ai fait ce que j'ai pu. J'ai trois filles à élever et Mary était pour elles un mauvais exemple, mais je ne pouvais pas faire autrement que de la garder chez moi. Je ne lui en veux pas, Mr. Sewell. Je la plains. Celui qui l'a tuée n'a été que l'instrument de Dieu.

Il commençait à me donner la chair de poule.

— Je ne l'ai pas tuée, répétai-je. Je n'ai pas couché avec elle non plus. Qu'est-ce que vous essayez de faire avec moi ? De me faire dire que c'est moi qui l'ai tuée ?

— Non, Mr. Sewell.

Il se leva et me fixa encore un moment, ses épais sourcils froncés :

— Que Dieu vous pardonne.

— Attendez une minute, protestai-je.

— Ayez foi en Lui, conclut-il. Ne désespérez pas.

J'essayai de le retenir, mais il était déjà parti.

Dix minutes plus tard, Jérôme B. Hyers, l'avocat que m'avait recommandé Kruslov, arriva. C'était un petit homme replet, d'une cinquantaine d'années, qui tentait de dissimuler sa calvitie en ramenant en travers de son crâne les cheveux qu'il avait laissé pousser sur l'une de ses tempes. Il avait de petits yeux perçants, une bouche en forme de tirelire et une voix tonnante de baryton. Nous ne nous entendîmes pas du tout. Chaque fois que j'essayais de lui dire que je n'avais pas tué Mary Olan, il se lançait dans de grands laïus à propos des conversations à cœur ouvert qu'un client pouvait avoir avec son avocat.

Nous vociférâmes l'un et l'autre pendant une bonne quinzaine de minutes. Il arpentait la cellule dans tous les sens, tout en faisant de grands gestes. Brusquement, il abandonna ses façons théâtrales, s'assit puis, après s'être essuyé la bouche avec un mouchoir, il me regarda calmement :

— Alors, ce n'est pas vous, hein ?

— Non ! Je n'arrête pas de...

— Bon. Très bien, très bien. Laissez-moi réfléchir. Il y a dans le dossier pas mal d'éléments contre vous. Dispute avec la victime quelques heures avant le crime. Votre ceinture. Transfert du cadavre.

— Je reconnais m'en être débarrassé.

Il eut un sourire légèrement ironique :

— Jeune homme, je ne crois guère pouvoir trouver quelque crédit auprès du jury en racontant que quelqu'un est entré chez vous pendant que vous dormiez et a fourré le cadavre dans votre placard.

— C'est pourtant exactement ce qui s'est passé.

— Je vous en prie, cessez de répéter toujours la même chose. Voyons. Nous sommes en mai. Cela nous laisse jusqu'à décembre au moins pour nous préparer.

— Décembre ! Ne pouvez-vous pas me faire sortir d'ici ?

— Dans une affaire de meurtre, il n'est pas possible d'obtenir une mise en liberté sous caution. Il faudra donc que vous restiez ici jusqu'au procès. (Il regarda autour de lui et soupira.) Naturellement, nous veillerons à ce qu'on vous donne une cellule plus confortable que celle-ci. Je vous informe, jeune homme, que mes honoraires seront de cinq mille dollars, sans compter les frais qui pourraient s'y ajouter si je décidais d'avoir recours aux services d'un détective privé.

— C'est une grosse somme.

— Je suis aussi un grand avocat, jeune homme. J'eus un mince sourire : — Entendu.

— Je vais réfléchir et passer en revue tous les faits en notre possession. Lorsque je reviendrai, nous reverrons tout cela en détail.

— Qu'est-ce qui est arrivé à... Miss Mac Rae, ma secrétaire ? Je tiens à ce qu'elle soit mise rapidement hors de cause.

— Ce détective, Paul France, a raconté, naturellement, qu'il vous avait trouvé chez elle. Kruslov l'a fait immédiatement arrêter. Elle était déjà là lorsqu'on vous a ramené. Kruslov voulait avoir la certitude qu'elle n'avait aucune part dans le crime. Le soir, elle a été remise en liberté provisoire mais, au moment du procès, elle comparaîtra vraisemblablement à vos côtés, sous l'inculpation de recel de malfaiteur.

— La C.P.P. va la flanquer à la porte.

Il me jeta un coup d'œil moqueur :

— Elle ne va pas non plus vous décerner une médaille, Mr. Sewell.

Là-dessus, l'avocat s'éclipsa. Vers six heures du soir, on me ramena dans la petite pièce misérable où, la veille, Kruslov et ses acolytes m'en avaient fait voir de toutes les couleurs. Toni m'y attendait. Lorsque les flics eurent refermé la porte et que nous fûmes seuls, nous nous jetâmes dans les bras l'un de l'autre. Sans doute, l'influence de Jerry Hyers n'était-elle pas étrangère à cette aimable entrevue.

Nous nous embrassâmes et nous parlâmes tout à la fois. Nous ne pouvions nous rassasier de caresses et de baisers. Tout en passant ses doigts sur ma figure meurtrie, elle ne cessait de répéter en pleurant :

— Ça ne peut pas être vrai, Clint. C'est trop horrible. Ça ne peut pas être vrai.

— Une partie, au moins, est vraie.

Elle s'empourpra :

— Oui. Oh! oui. Tu sais, ils sont venus me chercher à l'usine. Le capitaine Kruslov m'a dit des choses abominables. Il me reprochait de t'avoir aidé. Mr. France était là, lui aussi. Il était très en colère contre toi. Tu penses, tu lui as fait sauter une de ses dents. Par la suite, je lui ai parlé. Je lui ai demandé si sa mission était terminée et il m'a dit qu'il pensait qu'elle l'était. Je lui ai alors demandé s'il ne voudrait

144

pas travailler pour toi. Je ne pensais pas qu'il allait accepter, tellement il était en colère, mais il a tout de même dit oui. Ne t'inquiète pas, c'est moi qui le paierai.

— Je ne veux pas que tu payes quoi que ce soit.

— Mais moi, je veux. Quand je n'aurai plus d'argent, tu pourras le payer toi-même. Mais je veux que quelqu'un essaye de t'aider. Le capitaine Kruslov est tellement sûr de ta culpabilité que ça me fait peur.

— Tu sais bien que ce n'est pas moi qui l'ai tuée.

— Oui, chéri. Je le sais.

— N'en doute jamais. Ne te pose jamais de questions à ce sujet.

— Je ne le pourrais pas, chéri. Ne parle pas comme ça. (Elle planta ses yeux dans les miens.) Et toi, ne doute jamais de moi. Rien ne pourra jamais changer quoi que ce soit. Je t'attendrai. Je m'occuperai de te faire libérer.

A ce moment-là, un flic vint nous avertir qu'il ne nous restait plus que deux minutes. Toni se serra un peu plus fort contre moi. Elle m'annonça qu'elle reviendrait me voir le samedi après-midi et qu'elle m'apporterait des vêtements de rechange et quelques objets de toilette. Elle avait encore quelque chose d'autre à me dire, mais on ne lui en laissa pas le temps. Il lui fallut s'en aller et l'on me ramena dans ma cellule qui me parut encore plus froide, plus grise et plus nue, après ces instants où j'avais eu la chance de tenir contre moi ma grande fille toute chaude, de la regarder dans les yeux et d'entendre sa voix douce.

*
* *

On me relâcha le samedi matin à dix heures et quart. Pendant que je remettais ma cravate, ma ceinture et mes lacets, Hyers piétinait impatiemment à côté de moi. Je récupérai mon portefeuille, mes clés, mon argent et mes cigarettes.

— Qu'est-ce qui se passe ? demandai-je à Hyers.

— Allons d'abord boire un café dehors.

Par bonheur, le bar le plus proche était du genre bistrot de chauffeurs. Avec ma barbe de quatre jours et ma chemise sale, j'avais tout à fait l'air d'un clochard. Nous prîmes place dans l'arrière-salle de l'établissement.

Jerry Hyers commanda des tartines beurrées et du café.

— Ils auraient pu vous garder encore tout le week-end. Ça n'a pas été facile de couper à toutes leurs paperasseries pour vous faire sortir.

— Quelqu'un aurait-il enfin l'amabilité de me mettre au courant de ce qui se passe ?

— Comment ? Vous ne savez pas encore ? On a trouvé Dodd Raymond ce matin. Mort. Deux gosses qui coupaient par la ferme Pryor pour partir en excursion. La voiture de Raymond était arrêtée sur l'une des routes qui mènent à la ferme. Il avait pris sa corde de remorquage puis, après être grimpé sur le toit de sa voiture, il avait attaché un des bouts de la corde à une branche, s'était passé l'autre autour du cou et s'était jeté dans le vide. Les gosses affolés ont couru à la ferme. On a retrouvé le calepin de la fille Olan dans l'une des poches de Raymond et la clé de votre appartement dans une autre. Kruslov a immédiatement convoqué Mme Raymond. Quand elle a appris ce qui était arrivé, elle a reconnu qu'elle avait menti en ce qui concernait l'emploi du temps de son mari, la nuit où la petite Olan a été tuée. De ses déclarations nouvelles, il ressort que Raymond est resté dehors cette nuit-là jusqu'à cinq heures du matin. Et elle a également dit à Kruslov que Raymond, votre patron, vous avait obligé, en quelque sorte, à sortir avec la petite Olan de façon à pouvoir la voir plus souvent. Elle a ajouté qu'elle était certaine que son mari avait loué une chambre ou un appartement quelque part en ville, pour pouvoir y rencontrer sa maîtresse. Maintenant, tenez. Voilà un papier. Présentez-le au garage de police de la 4e rue et on vous rendra votre voiture. Les poursuites contre vous ont été abandonnées.

— J'avais bien pensé à Dodd, mais je ne pouvais pas croire que…

— Il n'avait pas mal joué. Si ses nerfs ne l'avaient pas lâché, vous auriez sans doute fini sur la chaise électrique. Jeune homme, vous me ferez un chèque de trois cents dollars qui couvrira les démarches que j'ai faites en votre nom.

— Je vous le posterai lundi.

— Je vous remercie. Maintenant, il faut que je vous laisse.

Nous échangeâmes une poignée de mains, puis il s'en alla, important et affairé.

Je finis d'avaler mon café, réglai puis me rendis directement au garage de police. Lorsque j'eus récupéré ma voiture, je rentrai chez moi et appelai mon bureau.

J'entendis la voix de Toni au bout du fil :

— Ici, le bureau de Mr. Sewell.

— C'est Mr. Sewell lui-même à l'appareil, Miss Mac Rae. Je vous téléphone pour vous prévenir que je ne viendrai pas au bureau ce matin.

— Clint ! Alors, c'est vrai ? Il y a un bruit qui court comme quoi Mr. Raymond…

— Y a-t-il donc assez de gens, ce matin, à l'usine, pour faire courir un bruit ?

— Clint, raconte-moi et cesse de plaisanter. Tu es dehors ?

— Oui, je suis dehors et je trouve que tu ne devrais pas travailler un samedi. C'est un jour idéal pour faire un pique-nique. Où allons-nous nous rendre ?

— Clint !

— Ecoute, chérie. Je ne pourrai pas aller te chercher à l'usine. Il faut que je me récure un peu et qu'ensuite j'aille voir Nancy Raymond. Mettons que je viendrai te prendre chez toi à deux heures.

— D'où me téléphones-tu ?

— De chez moi.

— Eh bien !… il faut que je te dise, chéri. C'est là que j'habite.

— Quoi ?

— Mme Timberland m'a fichue à la porte, avec perte et fracas. J'ai eu une longue conversation avec Mme Speers. C'est ça que je n'ai pas eu le temps de te dire. Nous avons pensé toutes deux que ce serait plus simple si…

— Comme ça se trouve, Mme Speers est justement en train de frapper à ma porte.

— Alors, elle va t'expliquer. A tout à l'heure, chéri.

Je fis entrer Mme Speers. Les yeux fixés sur mon menton hérissé de poils, elle attaqua :

— Je viens d'entendre ça à la radio. Au sujet de Mr. Raymond. Je leur avais bien dit à ces idiots… à… à ces pieds-plats que vous n'aviez pas tué cette fille. Elle avait beau être d'une bonne famille, ce n'était pas une personne bien. Quand on boit comme elle buvait…

— Je tiens à vous dire combien je vous ai été reconnaissant de votre attitude.

— Cela me fait horreur de penser que quelqu'un a pu cacher un cadavre à côté de chez moi. Mr. Sewell, j'ai eu une longue conversation avec Miss Mac Rae. Cette vieille toupie de Timberland l'a flanquée dehors, avec tous ses bagages. Miss Mac Rae et moi, nous avons beaucoup parlé de vous, Mr. Sewell.

148

C'est une fille sensationnelle. Nous avons décidé que ce serait plus commode qu'elle habite ici pendant que nous... ferions tout ce que nous pourrions pour vous aider dans votre malheur.

— Elle vient de me dire ça au téléphone.

— Oh ! elle vous en a parlé. Voilà qui simplifie les choses. Je ne voulais pas que vous pensiez que j'avais pris trop de liberté en la laissant s'installer chez vous. Naturellement, vous ne pouvez pas rester ici tous les deux. Je ne permettrai pas une chose pareille. Il faudra que vous preniez une chambre dans un hôtel, jusqu'à ce que Miss Mac Rae puisse trouver un autre logement.

— Oui, je...

— Vous savez, je ne peux pas m'empêcher d'être un peu déçue que l'on vous ait relâché si vite. Est-ce que ce n'est pas terrible pour moi ? Pendant des années et des années, je n'ai pas eu autant d'émotions que durant ces quelques jours. Mais j'imagine que vous avez hâte de faire votre toilette après ce séjour que vous venez de faire dans cette horrible prison. Pauvre Mr. Raymond. Cette Mary Olan a dû le rendre fou. La mère de cette fille était une femme adorable, la pauvre chérie. Mais ça n'empêchait pas son mari d'être un fieffé coureur. Enfin, pensez à cette chambre d'hôtel, Mr. Sewell. N'oubliez pas !

Elle pointa vers moi un index gentiment grondeur, sourit et tourna ses talons.

Je me douchai longuement, me rasai et m'habillai. Je ne pouvais m'empêcher d'éprouver l'impression d'être en vacances. Cette impression ne disparut que lorsque je me rangeai devant la maison des Raymond. La grosse limousine ancien modèle de Mme Raymond mère était là, indiquant que la vieille dame était déjà revenue de sa résidence du Smith Lake.

Ce fut l'athlétique infirmière irlandaise qui m'ouvrit la porte. Je demandai à voir Mme Dodd Raymond. L'infirmière chuchota quelque chose puis me conduisit dans un petit boudoir. Au bout de cinq minutes, Nancy apparut. Elle était habillée en noir et se déplaçait comme une automate.

Elle me tendit une main glacée :

— Je vous remercie, Clint, de m'avoir fait cette visite.

— Nancy, je suis navré, sincèrement navré.

— Asseyez-vous, voulez-vous ? Vous savez, ce drame a été un coup terrible pour Mère. Elle est très mal. Le docteur vient juste de partir.

— Y a-t-il quelque chose que je puisse faire ?

— J'avais pensé à vous demander de tenir l'un des cordons du poêle et puis j'ai décidé que, en raison des circonstances, l'enterrement se ferait dans la plus stricte intimité.

Je n'arrivais pas à la faire sortir du cadre des conventions sociales. Elle ne me disait que les choses de rigueur qu'elle eût dites à n'importe quel étranger.

— Nancy ! appelai-je.

Elle me regarda, les yeux un peu élargis.

— Je vais bien. Je vais très bien. Je supporte tout cela très bien, Clint. Je suis allée reconnaître le corps ce matin à neuf heures. On nous le rendra cet après-midi, dès que les formalités seront terminées.

— Vous essayez de me donner le change, Nancy. Vous n'allez pas bien du tout.

— Mais si, je vous assure. Je ne comprends pas ce que vous voulez dire. Le caveau familial se trouve à Warren naturellement. L'entreprise de pompes funèbres prendra toutes les dispositions nécessaires. Mère veut donc que ce soit le Révérend Lamarr qui célèbre le service. Je lui ai téléphoné. Il était un peu hésitant au début, mais finalement il a accepté. Il disait que ce ne serait pas de très bon goût, étant donné que les Pryor appartenaient à la même paroisse que nous.

— Nancy, est-ce que vous vous souvenez de moi ? Clint. Je suis votre ami. Je ne suis pas venu vous faire une banale visite de condoléances.

Sa figure se contracta alors et elle se mit à sangloter. J'allai m'asseoir à côté d'elle sur le canapé et je lui pris la main. Il lui fallut longtemps avant qu'elle puisse parler à nouveau.

— Je n'avais pas encore pleuré jusqu'ici, fit-elle d'une voix sans timbre.

— C'est une bonne chose que vous l'ayez fait.

— J'allais m'en aller. J'allais le quitter. Et il avait des ennuis. Il aurait dû me le dire.

— Il ne pouvait pas vous dire ça, Nancy.

— Je n'étais pas assez bien pour lui, Clint. Je ne lui suffisais pas. Il voulait plus que je n'avais à lui donner.

— Il ne l'aurait pas trouvé non plus avec Mary Olan.

— J'aurais dû me douter de quelque chose. Il se conduisait d'une manière si étrange.

— C'est-à-dire ?

— Je ne crois pas qu'il ait dormi plus de deux ou trois heures durant ces trois dernières nuits. Il rôdait sans arrêt dans la maison. Par deux fois, j'ai essayé de l'appeler à son bureau dans la journée, mais il n'y était pas. On aurait dit qu'il ne s'intéressait plus à l'usine. Il avait l'air de penser à quelque chose, de mûrir une idée. Il ne m'adressait pas la parole. Et puis, hier après-midi, il m'a parlé… bizarrement. Je n'ai pas pu comprendre ce qu'il voulait dire. Il n'aurait pas dû se trouver à la maison au milieu de la journée, mais ça n'avait pas l'air de le préoccuper. Ses mains étaient pleines de poussière quand il est rentré. Il ne s'en était même pas aperçu, jusqu'à ce que je lui en fasse la remarque. Il a alors regardé ses mains et il a eu un drôle de sourire : « C'est la poussière des ans, chérie. Ou, si tu veux, de la poussière d'or. Ça revient au même. » Il s'est lavé les mains puis il est sorti de la cuisine, où je me trouvais à ce moment-là. Un peu plus tard, il m'a dit : « J'ai mis dans le mille, bébé. » Il n'a pas voulu m'expliquer ce que ça signifiait. Il a eu de nouveau ce sourire étrange : « Maintenant, la C.P.P. peut aller au diable. Nous allons être vraiment dans les affaires. » Il a continué à hocher la tête, tout en se souriant à lui-même, puis aussitôt après le sîner, il est parti. Il ne m'a pas dit où il allait. Avant de sortir, il a donné un coup de téléphone, mais je n'ai pas pu entendre ce qu'il disait et à qui il parlait. Je... je ne l'ai pas revu vivant depuis.

— Calmez-vous, Nancy. Je vous en prie, calmez-vous.

Elle fixa un point dans le vague, sa main crispée sur la mienne :

— Tout est bien fini, n'est-ce pas ?

— Oui, Nancy. Tout est fini.

Elle posa son regard sur moi un instant puis détourna les yeux :

— Je ne cesse de penser à quelque chose d'horrible.

— Quoi donc ?

— A attendre que tout ceci soit terminé. Six mois. Un an même. Et ensuite à revenir ici pour trouver le moyen d'être heureuse à nouveau.

— Que voulez-vous dire ?

Elle se tourna brusquement vers moi, le regard presque agressif :

— Nous sommes à peu près du même âge, Clint. Je saurais comment vous être utile, dans la vie, dans le travail, et tout. Je connais la vie. Ce n'est pas de ma faute si Dodd et moi n'avons pas eu d'enfants. Nous avons fait des tests. Moi, je peux en avoir. Nous deux, ça pourrait marcher. Vous pourriez être fier de moi. Je me suis toujours montrée active dans les comités ou les choses comme ça. J'ai toujours su tenir et rendre agréable une maison. Tout allait bien jusqu'à ce que nous venions ici. Voilà la chose épouvantable à laquelle je ne cesse de penser.

Je ne répondis pas. Elle se détourna de nouveau :

— C'est stupide, n'est-ce pas ?

— Vous êtes bouleversée, Nancy. C'est votre désarroi qui vous fait parler ainsi.

— Ce n'est pas vous que je veux. Ce que je veux, c'est retrouver ma vie d'avant. Mais cette fois, avec des enfants. Excusez-moi, Clint.

— Vous n'avez pas à vous excuser.

— Vous ne voulez pas qu'on essaye, n'est-ce pas ?

— Je suis désolé, Nancy.

Elle retira sa main. Je me levai pour lui dire au revoir. Elle ne bougea pas et ne prononça pas une parole. Je retrouvai seul le chemin pour sortir. Au moment où j'allais remonter dans ma voiture, Kruslov arriva, accompagné d'un autre policier. Il fit mine de ne pas me voir, mais j'avançai à sa rencontre.

— Bon et alors ? s'informa Kruslov. Il paraissait sombre et fatigué.

— Et alors, je voudrais savoir si vous vous sentez fier de vous, Kruslov. Je voudrais savoir si cela vous a avancé à quelque chose de me taper dessus à bras raccourcis.

Il me fixa d'un œil glacé :

— Vous voulez des excuses ?

— Vous pourriez m'en faire une, juste pour le principe.

— Jamais, espèce de triple imbécile. Vous avez trouvé un cadavre et vous l'avez emmené ailleurs. De quel droit un simple citoyen comme vous se mêle-t-il d'embrouiller le travail de la police ? Vous avez compliqué mon boulot, vous avez chamboulé les indices, vous avez fermé votre gueule et maintenant

vous venez me demander de vous faire des excuses ?
C'est un comble ! Il y a des lois qui punissent ce que
vous avez fait et, si vous continuez à m'enquiquiner,
je vous jure bien que je m'arrangerai pour vous les
faire appliquer. Maintenant, tirez-vous de là, nom de
nom !

Je libérai le passage avant qu'il ne s'en charge lui-
même d'un coup d'épaule. En m'installant dans ma
Mercury, je me sentais mortifié comme un enfant
puni.

*
* *

Après être venu à bout des protestations de Toni,
j'avais transporté quelques-unes de mes affaires dans
une chambre d'hôtel. J'avais fini par la convaincre en
lui disant que si je connaissais bien la C.P.P., je ne
resterai pas en poste plus de quelques jours encore.
Nous avions ensuite préparé un panier de provisions,
puis nous étions partis loin dans la campagne. Assis
côte à côte sur l'herbe, nous lancions dans la rivière
des miettes de pain que des goujons happaient
gloutonnement. Toni me contemplait du coin de
l'œil :

— Cesse de froncer les sourcils, fit-elle doucement.

— Je ne peux pas m'en empêcher.

— Tout est fini, maintenant.

— C'était un type froid, Toni. Un type qui savait
voir les situations sous tous les angles. Est-ce qu'il
était vraiment capable de tuer ? Oui, si cela pouvait
lui rapporter un gain considérable et s'il pouvait avoir
la certitude de s'en tirer. Pouvait-il se suicider ? Peut-
être, s'il avait conscience qu'il allait être pris. Alors,
ça ne colle pas. Pas du tout. La mort de Mary ne lui
rapportait rien. Et il n'allait pas être pris.

— On ne peut pas savoir. Les choses sont parfois

très différentes de ce qu'elles paraissent. Et puis quoi ? Nous sommes en dehors de tout ça maintenant. Nous ne devons rien à personne. Alors, ne pensons qu'à nous, Clint chéri.

— Mais Toni, je t'assure, je ne peux pas me faire à cette idée. Le paquet est trop bien enveloppé. La ficelle trop bien nouée. Peut-être trop bien nouée autour du cou de Dodd.

— Oh ! Clint, je t'en prie !

— Ce n'est pas que je veuille à tout prix défendre sa mémoire. Je n'ai pas cessé de lui en vouloir. Le plus élémentaire bon sens me dicte de faire ce que tu me dis. De laisser tomber. Et d'utiliser mes heures de loisir à des préoccupations plus agréables.

Elle promena la pointe de ses doigts sur ma joue et soupira :

— Espèce de curieux.

— Je sais.

— Grand idiot.

— Je sais cela aussi.

— Enfin, vous faites comme vous voulez, Monseigneur.

Nos lèvres se joignirent et nous restâmes ainsi enlacés un long moment. Ensuite, nous retournâmes à la voiture. Toni m'attrapa par le bras et me regarda dans les yeux :

— Fais attention, murmura-t-elle.

Bien sûr, j'allais faire attention. Mais il fallait que je sache. Ils m'avaient changé — Kruslov, ses poings, ma cellule humide et le cadavre de Mary. Avant, j'aurais dit que ça ne me regardait pas. Mais à présent, j'avais besoin de savoir la vérité. Je ne pouvais pas laisser enterrer Dodd avec cette tache infamante sur sa mémoire.

Et j'allais faire attention. Parce que, après, il y aurait Toni.

10

Il y a peu d'endroits où l'on puisse se salir les mains avec la poussière du passé. Après avoir raccompagné Toni — toujours pas consolée mais compréhensive — je me rendis au *Ledger,* l'un des deux grands quotidiens de la ville. J'y arrivai un peu après cinq heures. Je me renseignai auprès d'une jeune personne retranchée derrière un comptoir, laquelle s'arrêta de se remettre du rouge à lèvres pour me répondre, d'un air insolent, qu'il était tard et que je trouverais peut-être ce que je voulais au deuxième étage.

La collection des journaux parus avait été installée dans une petite pièce sans fenêtres, située à côté des archives. Une petite bonne femme bien en chair, aux lunettes ornées de strass, vint me demander si elle pouvait m'être utile.

— Est-ce que vous tenez un registre des gens qui viennent consulter la collection ? m'informai-je.

— Oh, non ! On ne la consulte pas beaucoup, sauf, de temps en temps, le personnel de la rédaction. La bibliothèque municipale a toutes les éditions parues depuis 1822 reproduites sur micro-films. Pourquoi ne vous en serviriez-vous pas ? C'est plus commode et plus propre.

— Oh ! eh bien ! pendant que je suis ici...

— Comme vous voudrez. Maniez les avec soin,

voulez-vous ? Surtout les plus anciens. Ils tombent quelque peu en ruine. Là-dessus, elle me laissa seul. Les journaux, réunis par années dans des reliures cartonnées, occupaient trois des parois de la petite pièce. Il me fallait trouver lequel de ces volumes avait intéressé Dodd Raymond — si mon intuition était bonne. Les années les plus récentes étaient à peu près vierges de poussière. Parmi celles qui se situaient un peu plus loin dans le temps, un volume dépassait légèrement, son dos mieux épousseté que celui des autres. Je le fis glisser du rayon et l'amenai sur la table.

Je commençai à le feuilleter. Le papier en était jauni, les feuillets écornés, les caractères différents de ceux utilisés dans les éditions actuelles. Au bout d'une demi-heure, je trouvais ce que je cherchais. Je lus attentivement le premier article qui s'étalait en première page sur huit colonnes, puis les comptes rendus des éditions suivantes. Toute l'affaire se terminait par un entrefilet relégué en page six, qui relatait le transfert de Mme Rolph Olan dans une maison de santé, en exécution d'une ordonnance du tribunal.

Ce n'était pas une jolie histoire. Un certain mercredi d'octobre, le chauffeur de Mme Olan était allé, comme d'habitude, chercher la jeune Mary à l'institution privée qu'elle fréquentait. La petite fille s'était précipitée à l'intérieur de la maison. Elle avait vu la voiture de son père dans l'allée et avait hâte de le voir. Son petit frère était en train de faire la sieste. La cuisinière et la femme de chambre, toutes deux de congé ce jour-là, étaient absentes. Mary avait franchi le seuil en courant. Sa mère, Nadine Pryor Olan, se tenait sur la dernière marche de l'escalier, un couteau ensanglanté à la main, les yeux fixés sur le corps de son mari qui gisait devant elle, la poitrine transpercée.

Il avait été établi — bien que le journal fût des plus réservés là-dessus — que Rolph Olan avait de nombreuses aventures sentimentales, ce qui était un fréquent motif de discorde entre les deux époux. On n'avait pas pu établir, en revanche, pourquoi Olan était revenu chez lui, ce jour-là, en plein milieu de l'après-midi. On savait seulement qu'il avait quitté son bureau peu de temps après avoir reçu un coup de téléphone, et l'on en avait déduit que c'était sa femme qui l'avait appelé pour lui demander de rentrer. Tout d'abord, Nadine Olan, dont la santé avait toujours été délicate, avait été dans l'incapacité totale de répondre aux questions des policiers. Et puis, grâce aux soins vigilants dont elle avait été l'objet, elle avait fini par sortir de son hébétude. Elle avait alors prétendu que, peu de temps après avoir entendu arriver la voiture de son mari, elle avait perçu le bruit d'une chute, qu'elle avait appelé puis que, n'obtenant pas de réponse, elle avait commencé à s'inquiéter et était descendue. Lorsqu'elle avait trouvé le corps de son mari, elle supposait, avait-elle dit, que, mue par un réflexe instinctif, elle avait retiré le couteau de la plaie. La seule chose dont elle pouvait se souvenir ensuite était l'irruption de sa fille dans le vestibule et les cris qu'avait poussés celle-ci.

Elle avait conservé sa lucidité pendant quelques jours et puis, probablement lorsqu'elle avait commencé à se rendre compte que tout le monde était convaincu de sa culpabilité, sa raison s'en était allée. Je devinai que les questions qu'elle avait dû se poser elle-même, quant à savoir si elle avait tué son mari ou non, avaient contribué pour une large part à sa démence. On pouvait comprendre que, mise en face d'un problème aussi insoluble, elle ait trouvé refuge dans un monde irréel, surtout quand on savait qu'il s'agissait, en l'espèce, d'une femme sensible, émotive et, de surcroît, malheureuse.

Durant la période où Nadine Olan était demeurée d'un calme relatif, le journal mettait en avant deux faits, de nature à laisser quelques doutes quant à la culpabilité de la jeune femme. Primo : quelqu'un, qui connaissait Rolph Olan de vue, était prêt à jurer qu'il avait vu un autre homme se diriger vers la maison, en compagnie d'Olan, cet après-midi là. Secundo : une femme du voisinage avait raconté que, ce même après-midi, un homme avait traversé ses plates-bandes et qu'il était très possible que celui-ci vînt de la maison des Olan.

Mais, lorsque Mme Olan avait perdu la raison, elle avait, avant de se retrancher dans une rêverie obscure où personne ne pourrait plus l'atteindre, fait une sorte de confession. Des extraits en étaient reproduits dans le journal. Il y était question des anges de la Mort, de la vengeance du Seigneur et du prix du péché. La folie évidente de la pauvre Nadine avait mis un terme à toutes les hypothèses qu'on avait pu émettre à propos de son innocence.

Pendant les journées qui avaient suivi le meurtre, Willis Pryor, le frère de la meurtrière présumée, s'était dépensé sans compter, passant des heures au chevet de sa sœur, la veillant même la nuit et proclamant son innocence à tous les échos. Il avait adressé une lettre au journal, dans laquelle il se plaignait de l'inertie de la police. Après la crise de Nadine Olan, et quand le diagnostic des médecins n'eut plus laissé aucun espoir, Willis Pryor avait cessé toutes ses démarches. Il s'était retiré du comité de la plupart des œuvres de bienfaisance de Warren ainsi que du conseil d'administration de plusieurs sociétés locales.

Je fis le bilan des éléments que je possédais. Il n'était pas bien lourd. Dodd Raymond en avait eu certainement bien davantage. Il en avait su assez pour qu'on le supprime. Etant né à Warren, il connaissait des petits détails qui ne se trouvaient pas dans les journaux. Il ne s'était peut-être servi de ces derniers que pour confirmer ses souvenirs. De plus, il était intime avec Mary. Celle-ci pouvait très bien lui avoir confié certaines choses qu'elle ne m'avait pas racontées à moi.

En remettant le volume, sur son rayon, je savais que je n'avais rien d'autre qu'une intuition. Une intuition quant à l'identité du justicier.

Je retournai prendre Toni pour l'emmener dîner. Je suppose que je ne fus guère un compagnon amusant, ce soir-là. J'étais heureux, bien sûr, de retrouver ma grande fille brune, mais je ne pouvais pas chasser de mon esprit les préoccupations qui me hantaient. Toni en était consciente et en montrait quelque chagrin. Je fis du mieux que je pus pour la rassurer puis, après l'avoir ramenée chez moi, je regagnai mon hôtel. Lorsque je fus dans ma chambre, j'appelai Toni au téléphone et, longuement, nous nous dîmes les choses que peuvent se dire un homme et une femme lorsqu'ils s'aiment.

* *
*

La ferme Pryor, à sa façon, ressemblait, autant que la maison, à un décor de cinéma. De belles vaches grasses paissaient dans une vaste prairie cernée d'une clôture blanche. Les toits d'aluminium des étables étincelaient dans le soleil du matin. Une route semée de graviers conduisait à la maison du métayer, au-delà de laquelle se dressaient, sur le flanc d'une colline en pente douce, les deux cottages où s'installaient les Pryor lorsqu'ils séjournaient à la ferme.

Comme je stoppais devant la maison du métayer, John Fidd surgit, la mine hostile :

— Qu'est-ce que vous voulez ? s'informa-t-il.

— Alors, vous êtes revenu du lac, hein ?

161

— Y aura pas de chevaux ni de bateaux là-bas, cet été. A cause de Miss Mary. Et de ce vaurien de Yeagger. Bonne chose. J'ai déjà assez à faire ici sans encore aller là-bas pour jouer les garçons d'écurie. J'ai à surveiller la main-d'œuvre ici.

— Je voudrais voir l'endroit où l'on a trouvé Mr. Raymond, hier matin.

— Impossible, trancha John Fidd avec emphase. Je peux pas vous le montrer maintenant. J'ai trop à faire.

— Comment le trouverai-je ?

— Vous ne le trouverez pas.

Juste comme il terminait sa phrase, une jeep jaune s'engagea sur le gravier de la route, ses roues arrière patinant dangereusement. Elle était pilotée par l'une des filles de Willis Pryor.

— Laquelle est-ce ? m'informai-je.

— C'est Miss Skeeter, l'aînée. Et la plus gentille du lot aussi, je dirais, si on me demandait mon avis.

La dénommée Skeeter se rangea à côté de ma voiture et sauta à bas de sa jeep. Elle portait une culotte de cheval fatiguée accompagnée d'un chemisier jaune, et ses longs cheveux bruns étaient retenus en arrière par un ruban de la même couleur. Elle paraissait aussi ronde, saine et peu compliquée qu'un petit ours en bas âge.

— Salut, John, fit-elle. Bonjour, Mr. Sewell. John, j'ai pensé que ça ferait du bien à Simpy de lui faire une petite balade.

— Vous êtes sortie de bonne heure, ce matin, Miss Skeeter.

— Je suis allée très tôt à l'église. Les autres étaient encore à peine prêts lorsque je suis rentrée me changer. Papa les amènera probablement tout à l'heure.

— Mr. Sewell a demandé à voir l'endroit où ce

gars s'est pendu. Je n'ai pas le temps maintenant de l'emmener là-bas.

La jeune fille me regarda d'un air dubitatif :

— Si vous voulez vraiment le voir, je vous le montrerai. Attendez que John m'ait sellé Simpy et puis vous me suivrez dans la jeep. A moins que vous ne vouliez aussi prendre un cheval ?

— Non, merci. La jeep me convient très bien.

Tandis que Skeeter se dirigeait vers l'écurie, accompagnée de John Fidd, je m'installai au volant de la jeep et allumai une cigarette. Au bout de cinq minutes, la jeune fille reparut, tenant par la bride un énorme canasson à peu près aussi haut qu'une maison. Lorsqu'elle fut montée en selle, elle se tourna vers moi :

— Une fois que nous serons au-delà de cette barrière, nous couperons à travers la campagne. Vous feriez mieux de rouler en quatrième. Vous savez comment passer les vitesses ?

— Oui.

— Ne suivez pas Simpy de trop près. Ça le rend nerveux.

Là-dessus, elle démarra au galop. Il n'y avait pas de danger que je la suive de trop près. J'avais déjà assez de mal à ne pas la perdre de vue. Loin devant moi, je la vis piquer vers une petite route, bordée d'arbres, puis sauter à terre. Je la rejoignis bientôt.

— Voilà l'arbre, me dit-elle, et voilà la branche. Vous voyez, il avait arrêté sa voiture à peu près ici, de sorte que la branche se trouvait à trois mètres environ au-dessus du toit de sa voiture et à un peu plus près d'un mètre en arrière. C'était facile pour lui de lancer la corde autour de la branche.

— Je me demande bien pourquoi il est venu ici.

— Il paraît qu'il y venait souvent dans le temps. Qu'il y faisait de longues promenades à cheval avec

Mary. Il ne lui faisait pas vraiment la cour, à cette époque. Elle était trop jeune, je suppose.

Skeeter avait l'air impatient de réenfourcher sa monture et de s'en aller. Je voulais la faire parler, mais je ne savais pas exactement comment m'y prendre.

— Je suppose qu'on a dû amener une échelle pour pouvoir le décrocher.

— Oui, je crois aussi.

— Qu'est-ce que vous en pensez, Skeeter ?

— Que voulez-vous dire ?

— De Mary et de Dodd Raymond.

— Je ne le connaissais pas très bien. A vrai dire, je ne suis pas précisément chagrinée de sa mort, Mr. Sewell. Tout semble si triste, maintenant, sans Mary. Elle était formidable. Nous l'adorions, mes sœurs et moi. C'est une chose terrible qu'il a faite.

— Sans aucun doute.

— Maintenant, si vous le voulez bien, je vais vous dire au revoir. Simpy a envie de faire sa promenade. Vous pourrez laisser la jeep devant la maison du métayer.

— Quel âge avez-vous, Skeeter ?

— Dix-sept ans.

— La dernière fois que je vous ai vue, c'était il y a une semaine exactement.

Les yeux de la jeune fille semblèrent se décolorer :

— Je sais. C'est le jour où vous êtes venu au lac après avoir jeté le corps de Mary dans les broussailles, et où vous vous êtes conduit exactement comme si rien ne s'était passé. Je m'en souviens très bien, Mr. Sewell.

— J'ai commis une faute, je le sais. Mais il ne faut pas que vous me jugiez mal. J'avais perdu la tête.

— Vous aviez pourtant l'air très calme, ce jour-là, au lac.

— Skeeter, essayez de comprendre. J'ai été affolé quand j'ai trouvé le corps de Mary dans mon placard.

Elle médita longuement là-dessus :

— Je pense que vous aviez peut-être le droit de l'être. Mais, de toute façon, c'est une chose très laide que vous avez faite.

— Je le sais. Elle me pesait sur la conscience... horriblement.

— Mary était si vivante.

— Je sais. (Je pris mon courage à deux mains et souris :) Un peu trop vivante au gré de son oncle Willy, je suppose.

— Je ne vois pas ce que vous voulez dire, riposta-t-elle avec une dignité juvénile.

— D'après certaines choses qu'elle m'avait dites, j'avais compris que votre père n'appréciait pas beaucoup son genre d'existence.

— Mary vous a dit ça ?

— Nous parlions beaucoup ensemble. Rappelez-vous, Skeeter, je la connaissais très bien.

— Auriez-vous une cigarette ? On me défend de fumer, alors je n'en ai pas sur moi.

Je lui en donnai une et en pris une autre pour moi-même. Elle s'appuya contre le capot de la jeep :

— Pour tout dire, elle mettait Papa hors de lui. Il est très sévère avec nous. Il a essayé d'en faire autant avec Mary, mais ça n'a pas marché parce que Mary était majeure et qu'elle avait son argent à elle. Il n'y avait pas moyen de la punir ou de la priver comme il le fait avec nous.

» Tenez, à Noël, Papa a surpris Jigger en train d'embrasser un garçon. Juste embrasser un garçon ! Eh bien, on aurait dit qu'elle avait fait des saletés ou je ne sais quoi. Jigger n'a pas eu le droit de sortir ni même d'aller au cinéma pendant six semaines. Il fallait qu'elle monte dans sa chambre aussitôt après le dîner et qu'elle se mette au lit. Et Papa nous a privées aussi, Dusty et moi, pendant deux semaines, uniquement à cause de Jigger.

— Autrement dit, il devait y avoir souvent de la bagarre entre votre père et Mary.

— Si on peut appeler ça de la bagarre. Papa la houspillait ou bien il ne lui parlait pas, mais ça n'avait jamais l'air d'affecter beaucoup Mary. Elle prenait ça comme si ça avait été une espèce de blague. Je n'ai jamais pu comprendre pourquoi elle n'allait pas s'installer ailleurs, où elle aurait pu vivre seule et faire ce qui lui plaisait sans que papa le sache. Moi, c'est ce que j'aurais fait. Et c'est ce que je ferai quand j'en aurai l'âge. J'ai eu l'impression quelquefois qu'elle restait avec nous uniquement pour asticoter Papa.

— Elle l'asticotait ?

— Je ne sais pas au juste comment elle s'y prenait, mais ce qui est certain, c'est qu'elle lui en faisait voir de toutes les couleurs. Lorsqu'il piquait une de ses colères à cause de quelque chose qu'elle avait fait ou qu'il croyait qu'elle avait fait, elle s'arrangeait toujours pour s'isoler avec lui et lui dire quelque chose. Nous n'avons jamais pu entendre ce qu'elle lui disait, mais ça devait sûrement être quelque chose de sérieux. Après ces conversations, Papa restait parfois des heures à marcher de long en large dans sa chambre. Ou bien il s'y enfermait et nous pouvions l'entendre lire des passages de la Bible à haute voix. Vous savez, j'ai toujours eu l'impression qu'elle... lui racontait tout... au sujet des hommes.

Elle avait rougi sous son hâle.

— Quoi ? m'exclamai-je.

— Qu'elle lui parlait des hommes qu'elle fréquentait. Parce que Papa m'a dit, Seigneur, des douzaines de fois, de ne pas laisser Mary me parler librement et de venir l'avertir tout de suite si elle le faisait. Elle ne l'a jamais fait, bien sûr. Mais je crois qu'avec lui elle ne se gênait pas. Papa est très fort et il a parfois des colères terribles. Comme la fois où il a cassé le bras de Dusty lorsque... (Elle s'arrêta abruptement.) Cela ne vous regarde pas. Je n'aurais pas dû vous le dire.

— Vous m'avez déjà dit l'essentiel. Peut-être vaudrait-il mieux que vous vous expliquiez.

— En réalité, elle est tombée.

— Poussée ?

— Eh bien ! oui. Mais il n'avait pas l'intention de lui casser le bras. Je crois que je ferai aussi bien de tout vous raconter. Mais, en réalité, je n'ai pas encore compris. C'était il y a deux ans, au début du mois d'octobre. Il faisait très beau et nous étions allés, tous les six, passer la journée au lac. Avec Mary et mes sœurs, nous nous étions baignées. Dusty, Jigger et moi nous étions encore dans l'eau, tandis que Mary était montée à la salle de douches des filles qui se trouve au-dessus du hangar à bateaux. Dusty, qui croyait que Papa et Maman étaient dans la maison, décida tout à coup de s'introduire dans le vestiaire des hommes pour jeter un coup d'œil aux dessins humoristiques qui sont accrochés aux murs. Nous sommes censées ne pas les regarder ni même connaître leur existence. Ils ne sont pas vraiment obscènes, mais simplement un peu osés.

— Je sais, je les ai vus.

— Dusty s'est donc glissée dans le deuxième hangar et, en haut, elle a trouvé Papa accoudé à une fenêtre, qui regardait avec des jumelles dans la direction du vestiaire des femmes. Il est entré dans une colère noire. Il a chassé Dusty, l'a poussée du haut de l'escalier et, en tombant, elle s'est cassé le bras. Elle ne nous a raconté l'histoire des jumelles que beaucoup plus tard. On pourrait croire que Papa essayait de voir Mary s'habiller, mais ça ne tient pas debout. Il a horreur de ce genre de choses. Je n'ai jamais pu comprendre ce qu'il faisait là au juste. Un jour, je l'ai même demandé à Mary. Elle a eu l'air stupéfait et puis elle s'est mise à rire, à rire, à rire. Elle ne pouvait plus s'arrêter. Des larmes lui coulaient des yeux tellement elle riait fort. Elle n'a pas voulu me dire ce qui était si drôle. Au dîner, ce soir-là, elle a regardé Papa et elle s'est esclaffée de nouveau. Ça l'a rendu si furieux qu'il n'a pas pu avaler une bouchée. Il s'est levé et a quitté la table.

Maintenant j'en savais assez. Le tracé n'était que trop net. Je contemplai la petite bonne femme au nez retroussé et eus pitié d'elle. Mais peut-être aurait-elle, ainsi que ses sœurs, la force qu'il lui faudrait pour surmonter cette épreuve. Peut-être le sang de Myrna était-il assez fort et assez sain. Cependant, rien ne pourrait jamais empêcher Skeeter de me détester.

— Ça a dû être dur pour votre père, dis-je, après ce qui est arrivé à sa sœur, ce qui est arrivé maintenant à sa nièce. Je crois que votre père et sa sœur étaient très unis.

— Ils ne sont restés séparés qu'un an. Quand ils étaient jeunes, ils étaient toujours ensemble. Je crois qu'il a failli mourir lorsqu'on a envoyé Tante Nadine dans cette affreuse maison. Je n'étais à cette époque qu'un bébé, naturellement. Mais Maman nous a raconté quel choc terrible ça a été pour lui.

— Il a l'air de se porter joliment bien, maintenant.

— Oh oui ! Il a une santé extraordinaire pour un homme de son âge. Vous savez ce qu'il a fait à l'automne dernier ? Tout seul, il a abattu des arbres et il a débité plus de bois qu'il ne nous en fallait pour tout l'hiver.

— Il travaille beaucoup ici, je suppose.

— Oh oui !

Je rassemblai mon courage à nouveau et m'ingéniai à prendre un ton détaché :

— Je suppose qu'il était en train de travailler ici, dimanche dernier, lorsque je vous ai vue au lac. Est-ce que votre mère était avec vous?

— Laissez-moi réfléchir. Oui, elle était avec nous, mais elle est partie lorsque Papa lui a téléphoné au sujet de Mary. Papa n'aime pas que nous allions seules là-bas, mais Maman n'est pas aussi sévère avec nous. Papa est resté à la maison. Ou peut-être qu'il est venu ici. En fait, je n'en sais rien.

— Et personne n'est allé au lac ce week-end?

— Non, nous sommes tous restés en ville.

— Est-ce que votre père est resté ici vendredi soir?

— Non. Il est venu ici vendredi, mais il est rentré à la maison... Pourquoi me demandez-vous ça?

— Simplement pour dire quelque chose, je pense.

Elle avait de nouveau l'air méfiant. J'arborai mon sourire le plus innocent :

— Vous savez, j'admire la façon dont vous maniez ce cheval. A moi, il me fait peur.

Elle se décolla du capot de la jeep et alla appliquer une tape affectueuse sur l'encolure de l'animal.

— C'est une brave bête. Un bon copain, le vieux Simpy.

Elle posa un pied sur l'étrier, remonta en selle et fit démarrer sa monture au petit trot. Je levai les yeux vers l'arbre. Pendant une nuit, Dodd Raymond était resté pendu là, ses quatre-vingt-dix kilos se balançant au bout d'une corde, tandis que des oiseaux de proie venaient rôder autour de lui.

Je remontai dans la jeep et repris le chemin par où j'étais venu, en suivant les traces que mes pneus avaient laissées sur l'herbe de la prairie.

Il me fallut attendre une bonne heure avant qu'ils arrivent — Oncle Willy, Tante Myrna et les deux autres filles. Au moment où leur voiture s'arrêtait, Skeeter réapparut, galopant dans la direction de l'écurie. Les deux filles me jetèrent un coup d'œil indifférent puis sortirent de la voiture des paniers de provisions qu'elles emportèrent vers l'un des cottages. Myrna me fixa sans un mot et suivit ses filles.

Willy s'avança vers moi. Ses bottes soigneusement astiquées brillaient au soleil. Sa chemise blanche était déboutonnée, les pans flottant autour de la ceinture, à la mode mexicaine. Avec ses cheveux incroyablement blancs qui tranchaient sur sa peau hâlée, sa robuste carrure et son noble maintien, c'était un Hemingway de cinquante ans, droit, solide, fier de son corps.

— Hello! Sewell, fit-il. Puis-je vous être utile en quelque chose?

L'expression lasse et vaincue, qui marquait son visage lors de la visite qu'il m'avait faite à la prison, avait complètement disparu. Ses yeux avaient recouvré toute leur vivacité.

— Votre fille aînée m'a montré l'arbre où Dodd a été retrouvé pendu.

Il fronça les sourcils:

— Est-ce que vous vous êtes arrangé pour la rencontrer ici?

— Non. Non. Il se trouve que je suis arrivé ici à peu près en même temps qu'elle. C'est une fille adorable.

Le visage de Willy était hostile:

— Oui, en effet.

— Vous avez trois filles charmantes, Mr. Pryor.

— Etes-vous venu ici pour me dire ça, Sewell? Je vous avouerais que je n'ai nulle envie particulière de m'entretenir avec les... compagnons de ma défunte nièce. Maintenant, tout est terminé et je veux que mes filles oublient cette histoire le plus rapidement possible. D'un bout à l'autre, toute cette affaire a été sordide et lamentable.

— Oui.

— Maintenant, si ça ne vous ennuie pas de vous en aller, nous avons l'intention de pique-niquer en famille, aujourd'hui.

— Sous le même arbre ?

Il me fixa d'un œil froid : — Si c'est de l'humour, Sewell, je le trouve d'un goût douteux. Si ça n'en est pas, vous devriez savoir que je suis tout à fait capable de vous mettre de force dans votre automobile.

— Je n'en doute pas, croyez-le.

— Alors, allez-vous-en, je vous prie.

— Je veux vous parler.

— Je ne vois pas de quoi nous pourrions nous entretenir.

— Je me suis demandé si quelqu'un d'autre pourrait prendre en considération cette proposition que Dodd vous a faite, Mr. Pryor.

Il demeura là, le soleil dans la figure, les poings sur les hanches, les sourcils arqués. Je ne pus voir en lui aucun changement.

— Je ne suis pas certain de comprendre de quoi vous parlez, Sewell.

— Dodd devait avoir un entretien avec vous. Il me l'avait dit. Je crois que vous deviez le financer.

— Je ne m'intéresse pas aux affaires nouvelles.

— Il m'a dit que vous vous intéressiez à la sienne.

— Alors il vous a menti, parce que je n'ai jamais reçu de lui la moindre proposition. Je croyais que son job lui suffisait.

— Peut-être me suis-je mal exprimé. Il m'a dit que vous ne pourriez pas faire autrement que de vous intéresser à sa proposition.

— C'est une étrange déclaration.

— N'est-ce pas ?

— Vous amusez-vous à me poser des devinettes ? Vous commencez à m'échauffer les oreilles, jeune homme.

— Je ne pense pas que ce soit l'argent qui vous ait

arrêté. Je crois que c'est seulement le fait qu'il y ait quelqu'un qui sache. Ou peut-être encore avez-vous une forme d'honnêteté particulière qui vous a fait entrevoir ce moyen comme le seul qui puisse m'épargner un châtiment que je ne méritais pas. Il y avait de fortes chances pour qu'on m'envoie à la chaise électrique pour le meurtre de Mary. Vous n'auriez pas aimé ça. La conscience est une drôle de chose, Mr. Pryor. Même quand elle est tarabiscotée comme la vôtre.

— C'est la plus incroyable absurdité que j'aie jamais entendue de ma vie.

Je mesurai la distance qui nous séparait et dis doucement :

— Comment était-elle dans les jumelles, Willy ? Belle et désirable ? Vous savez de quand je veux parler. La fois où vous avez cassé le bras de Dusty.

— Vous devez être complètement fou.

Il avait dit cela avec un calme décourageant.

— C'est le soleil, sans doute. Je me demande comment votre conscience — tout élastique qu'elle soit — a pu s'accommoder d'une certaine chose. Comment...

— Pourquoi ne déguerpissez-vous pas avant que je vous jette hors de chez moi ?

— Comment s'est-elle arrangée de ce qui est arrivé à votre sœur ? C'est vous qui êtes responsable de cela, vous le savez. Vous avez tué Rolph Olan et vous avez fait endosser le crime à votre bien-aimée sœur Nadine.

Ses yeux fixaient un point au-delà de moi. Il ouvrit la bouche mais aucun son n'en sortit.

— Mais tout n'est pas fini, repris-je. D'autres que moi découvriront la vérité. Peut-être l'une de vos filles. Ou bien votre femme. Peut-être même soupçonne-t-elle déjà quelque chose. De tels secrets ne demeurent pas éternels, Mr. Pryor.

Brusquement, ses épaules se ramassèrent et il me sauta dessus avec la fureur sauvage d'un dogue. J'avais été un peu trop loin. Il n'y avait plus de place dans son esprit pour des plans et des calculs compliqués. Il n'en restait que pour la fureur, une fureur désespérée.

Un poing puissant comme une massue s'abattit sur mon bras droit. Je tentai de riposter mais un second coup entre les côtes me plia en deux. Les bras de Pryor se refermèrent sur moi, sa tête contre mon menton, ses poignets dans mes reins. Je m'écroulai en arrière et, en même temps, il tomba sur moi de tout son poids. Je suis jeune et relativement costaud, mais on ne peut pas lutter en présence d'une rage de cette sorte. Il m'enfonça un genou massif dans l'estomac et ses mains se nouèrent autour de ma gorge. Tendant les muscles de mon cou, je tentai d'attraper l'un de ses doigts pour lui faire relâcher son étreinte. Mais mes mains étaient moites et n'avaient pas de prise. Un dernier filet d'air passa dans ma gorge puis ma poitrine se convulsa. Le soleil s'obscurcit. Dans un dernier sursaut, je lançai mes poings en avant, mais ceux-ci battirent l'air, mous et avachis comme les ailes d'un oiseau à l'agonie.

Et puis, peu à peu, le monde reprit sa couleur. Je me remis péniblement sur mon séant et vis Willy Pryor qui, face à face avec Paul France, essayait de l'attraper. Au moment où Pryor allait l'atteindre, le détective lui assena trois coups bien placés puis, comme Pryor essayait d'esquiver, il fit un petit bond de côté et lui en administra deux autres. Le dernier fut décisif. Pryor fit encore trois pas, avant de s'effondrer, la face contre terre. Les quatre femmes Pryor accoururent, l'une d'elles poussant des cris perçants à chaque pas, tandis que John Fidd apparaissait, un fusil à la main.

Je me remis sur pied. Des points blancs dansaient

devant mes yeux, comme autant d'abeilles. France ce tourna vers moi :

— Votre julie m'a demandé de partir à votre recherche et d'avoir l'œil sur vous, jeune crétin.

— Merci.

Il se passa la main sur une trace rouge qu'il portait au menton :

— Je crois que ce n'est rien, fit-il méditativement. Rien du tout.

— Reculez, hurla John Fidd en nous couchant en joue. Reculez tous les deux jusqu'à la voiture.

France se dirigea droit sur lui, lui prit le fusil des mains et le jeta loin de lui :

— Allons, du calme, papa. Du calme.

Les trois filles avaient remis leur père sur le dos. Mme Pryor ouvrait des yeux effarés en demandant ce qui s'était passé.

— J'ai entendu dire qu'un citoyen a le droit d'arrêter un autre citoyen, dis-je à France. Est-ce que c'est vrai ?

— Oui, c'est légal. Qu'est-ce que vous avez à lui reprocher ?

— Il a tué Rolph Olan, Mary Olan et Dodd Raymond.

Skeeter se jeta sur moi comme un gros chat, toutes griffes dehors :

— C'est un mensonge, hurla-t-elle. Vous êtes un affreux menteur.

Willy Pryor, qui était resté étendu à terre sans faire un mouvement, ouvrit soudain la bouche :

— Ce n'est pas un mensonge. C'est la vérité.

Lentement, il se leva puis, après avoir éloigné les femmes d'un geste, il s'avança vers nous :

— Dans quelle voiture allez-vous m'emmener ?

France ouvrit la portière de sa conduite intérieure grise :

— Dans celle-ci, Monsieur, si vous voulez bien.

*
* *

Kruslov m'autorisa à assister à l'interrogatoire. Il avait l'air de quelqu'un qui vient de recevoir un grand coup sur la tête. Il ne cessait de regarder Willy Pryor, en branlant du chef, presque imperceptiblement.

Pryor se tenait très droit sur sa chaise, le visage grave, imposant de dignité tranquille.

Lorsque le sténographe eut décapuchonné son stylo, Kruslov annonça, avec l'air de s'excuser :

— Je crois que nous sommes prêts, Mr. Pryor.

— Dois-je vous raconter comment tout cela est arrivé ?

— S'il vous plaît, Monsieur.

— Eh bien ! Voilà. Ma sœur Nadine avait épousé Rolph Olan. Peu de temps après leur mariage, celui-ci commença à lui faire une vie infernale. Elle se confia à moi ; nous étions très unis. A plusieurs reprises, je parlai à Rolph, mais il m'ignora. Il semblait s'amuser de ce que je lui disais. Ses infidélités devenaient notoires. Ce n'était plus une vie pour ma sœur. Le jour de la mort de Rolph, j'appelai celui-ci à son bureau. Je lui dis qu'il fallait que je lui parle. J'insistai. J'avais longuement prié Dieu pour qu'IL me guide. Je voulais donner une dernière chance à Rolph. Lorsque nous nous retrouvâmes au carrefour où je lui avais donné rendez-vous, je lui dis que nous pourrions parler chez lui. Je comptais faire entrer Nadine dans la conversation. Mais Nadine était en train de se reposer. Nous parlâmes tranquillement dans le salon et il me dit alors que Nadine avait à peu près autant de saveur pour lui qu'une tasse de tilleul. Il me dit qu'il ne passerait pas sa vie enchaîné à une morte vivante et qu'il avait décidé de divorcer. Ce fut son dernier mot. Je m'excusai auprès de lui en disant que j'allais boire un verre d'eau et je ramenai le couteau de la cuisine. Pendant mon

175

absence, il avait gagné le vestibule et il s'apprêtait à monter pour réveiller Nadine et lui annoncer sa décision. Je le frappai en pleine poitrine. Il leva la main, la posa sur le manche du couteau, essaya de dire quelque chose puis s'écroula. Je sortis de la maison par la porte de service.

» Il ne m'était jamais venu à l'esprit que Nadine puisse être mise en cause. J'espérais que la police soupçonnerait quelque rôdeur ou quelque ennemi personnel de Rolph. Lorsque la raison de ma sœur commença à vaciller, je lui avouai que c'était moi qui avais tué son mari. Je lui expliquai pourquoi. Mais je ne pouvais plus l'atteindre. Elle ne comprenait pas ce que je lui disais. Et c'était moi qui était responsable de cela. Lorsque je sus qu'elle était incurable, il ne me parut plus nécessaire d'avouer. J'avais une femme, une fille, un autre enfant en route. Il fallait que je pense à eux. J'envisageai le suicide. Pendant de longs mois, je fus physiquement et moralement malade. Par hasard, je me rétablis. Si Rolph n'avait pas eu cette conduite diabolique, Nadine n'aurait pas perdu la raison. Une fois que je me fus persuadé de cela, je pus recouvrer ma santé physique et morale.

Il se tut pendant un long moment. Kruslov s'agita sur sa chaise mais il ne protesta pas. Il laissait Pryor perdu dans ses souvenirs.

Enfin, ce dernier reprit :

— La mort de Rolph et la folie de Nadine me laissaient avec la responsabilité de leurs deux enfants. Je n'ai jamais eu d'ennuis avec John. Il est brillant, studieux et dévôt. Mais son esprit est plus fort que son corps. Il n'a jamais éprouvé les tentations de la chair. Mary était un problème différent. Je n'ai cessé de me préoccuper à son sujet. Elle avait le mal rivé au corps. Aussi souvent que j'aie pu la battre, je n'ai pas pu venir à bout du démon qui était en elle. Une fois qu'elle a été majeure et qu'elle a

176

disposé de sa propre fortune, je n'ai plus eu aucune prise sur elle. Elle me détestait. Elle me détestait à cause des punitions que je lui avais infligées pour son bien. Avec sa mentalité démoniaque, elle commença à me punir à son tour. Elle décida de me débaucher, moi et mes filles.

» Elle me raconta ses aventures. Elle fit étalage de son corps devant moi, essayant ainsi de m'amener à la désirer. Elle me parla de ma sœur, sa propre mère, en sous-entendant que nos relations avaient été maladives, anormales. Je vivais sur des charbons ardents, à longueur de journée, priant Dieu de m'assister. Je m'étais mis à la désirer et je ne pouvais chasser ce démon de mon cœur.

» Quand elle s'en allait, je commençais à me sentir mieux mais, dès son retour, je retombais dans les mêmes affres. Pour finir, elle me nargua avec la liaison qu'elle avait avec un homme marié, Dodd Raymond, le fils de vieux amis à moi. Elle me nargua avec cette histoire comme elle m'avait nargué avec des détails obscènes de son aventure avec le jeune Yeagger. Elle me parla même d'un appartement que Raymond avait loué et où ils se rencontraient. Je compris qu'elle passerait sa vie à donner libre cours à ses mauvais instincts. Je lui dis que son père était un démon et que c'était pour cela qu'il était mort. Elle me regarda alors comme quelqu'un qui est illuminé d'une idée subite. Peut-être l'expression de ma figure m'avait-elle trahi. Je compris qu'elle avait commencé à me soupçonner. Et je compris aussi qu'il fallait qu'elle meure à son tour. Une fois que j'eus décidé cela, je me sentis purifié.

» Samedi dernier, après que ma femme et mes filles furent montées au lac, je me garai près du *Locus Ridge Club* et, lorsque Mary en sortit, je suivis sa voiture. Je croyais qu'elle était avec Dodd Raymond et qu'ils se rendaient tous deux à l'appartement dont elle m'avait parlé. Je les suivis jusqu'à ce qu'ils tournent dans une allée, quelque part dans l'ancien quartier de la ville. Pour m'assurer que c'était bien eux, je m'engageai à mon tour dans l'allée et, dans la lumière de mes phares, je les vis étroitement enlacés. Je rentrai alors chez moi pour attendre Mary. Je comptais qu'elle ne serait pas là avant les premières heures du matin. Elle revint plus tôt que je ne m'y attendais. De même que je l'avais fait pour son père, je décidai de lui donner une dernière chance. Je lui dis que je désirais lui parler.

» Elle m'écouta pendant longtemps, très patiemment. Je lui dis qu'il fallait qu'elle lutte contre le démon dont elle avait hérité. Je lui parlai très calmement. Lorsque j'eus terminé, elle m'éclata de rire au nez. Elle se moqua de moi et me dit des choses impardonnables. Je marchai sur elle et l'assommai d'un coup de poing.

» En fouillant son sac, je trouvai une clé que je ne connaissais pas. Je supposai que c'était celle de la garçonnière de Dodd Raymond. Je portais Mary inanimée dans sa voiture, m'installai au volant et retournai à l'appartement. La clé ouvrait la porte. J'entrai et trouvai l'homme dans son lit, la respiration saccadée, l'haleine empestée d'alcool. Je le frappai deux fois, aussi fort que je le pus, pour l'empêcher de se réveiller. Malgré l'obscurité, sa tête était nettement visible sur l'oreiller. Le rythme de sa respiration changea et ce fut tout. Je transportai Mary dans l'appartement. Elle semblait légère comme une plume. Je la plaçai dans le placard. J'allumai une allumette et vis une ceinture qui pendait là. Je la passai autour du cou de Mary et serrai fort. En m'agenouillant dans l'obscurité, je pus entendre un faible bruit de respiration. Je serrai alors la ceinture un peu plus et je n'entendis plus rien.

» Après avoir attendu un long moment, je repoussai le corps un peu plus loin dans le placard, refermai la porte, puis celle de l'entrée et démarrai. Je ne dormis pas cette nuit-là. Tôt, le lendemain matin, je téléphonai à ma femme pour lui dire que Mary n'était pas rentrée et que j'étais inquiet. Myrna quitta le lac aussitôt et...

— La voiture, fit doucement Kruslov, sa voiture, comment... ?

— En sortant de chez Sewell, je suis parti dans la direction de Highland et j'ai abandonné la voiture de Mary par là, non sans avoir essuyé le volant et les poignées des portières pour effacer mes empreintes. Ensuite, j'ai parcouru à pied les trois kilomètres qui me séparaient de ma ferme et là, j'ai pris une des jeeps pour rentrer chez moi. J'ai caché le sac de Mary et la clé dans le tiroir de mon bureau. Après que, ma femme et moi, nous eûmes téléphoné à Stine, j'attendis que l'on retrouve Raymond avec le cadavre de Mary dans cet appartement. Nous avions dit à Stine que notre nièce avait passé la soirée de la veille en compagnie des Raymond. Mais il apparut bientôt que c'était dans l'appartement de Sewell que j'étais allé, et non dans la garçonnière de Dodd. Le cadavre n'ayant pas été retrouvé chez lui, je supposai que Sewell s'en était débarrassé d'une manière ou d'une autre. Je ne voulais pas qu'il soit puni. Je le soupçonnais d'avoir eu des relations intimes avec Mary, mais je n'en avais aucune preuve.

» Je voulus avoir un entretien avec Sewell, pour savoir s'il devait être châtié lui aussi. Un soir, où celui où l'on a retrouvé le corps de Mary, je me postai près de son appartement. Il arriva en compagnie de Yeagger. J'étais caché derrière un arbre. Ils s'approchèrent tout près de moi et commencèrent à se battre. Je pris une clé anglaise dans ma voiture. Yeagger était en train d'étrangler Sewell. Je le frappai par-derrière et, croyant l'avoir tué, je m'en allai.

» L'arrestation de Sewell me contraria. J'allai lui rendre visite dans sa cellule. Il semblait honnête. Il niait avoir eu toute relation charnelle avec Mary. J'eus peur que, une fois encore, comme avec Nadine, un innocent soit châtié. Je recommençai à penser aux aveux et au suicide. J'étais l'instrument de la vengeance du Seigneur, mais Il ne voulait pas que je punisse un innocent.

» Lorsque Dodd Raymond me téléphona pour me fixer un rendez-vous où il pourrait me parler seul à seul, je n'avais pas la moindre idée de ce qu'il voulait. Je le fis venir à la ferme vendredi soir. Il aborda son sujet avec force précautions. Brusquement, je réalisai où il voulait en venir. Mary lui avait fait part de ses soupçons selon lesquels j'avais peut-être tué son père. Il avait une affaire en tête et il comptait bien que j'allais lui fournir les fonds nécessaires. Sinon, il irait rendre compte à la police de ses soupçons et il sentait que ce serait assez pour provoquer une réouverture de l'enquête. Je lui dis qu'il me fallait y réfléchir et lui demandai de m'attendre là un moment. Il me montra le revolver qu'il avait sur lui.

Je rentrai chez moi, tirai le sac de Mary de sa cachette et le ramenai là-bas avec moi. Il ne me fallut pas longtemps pour endormir la méfiance de Dodd. Je mentionnai de grosses sommes d'argent et sa cupidité lui fit oublier sa prudence. Je l'assommai d'un coup de poing, exactement comme je l'avais fait avec Mary. Je retirai ensuite mes chaussures pour ne pas laisser de marques de semelles sur le toit de la voiture de Raymond, puis je hissai là-haut le corps inanimé. Le plus difficile fut de le faire tenir debout pour lui passer le nœud coulant autour du cou. Il commença à reprendre connaissance au moment où je mettais le sac dans une de ses poches et la clé dans l'autre. Je le poussai dans le vide. Il attrapa des deux mains l'extrémité de la corde, au-dessus de sa tête et, en se balançant, il frôla le toit de la voiture du bout de ses souliers. Mais il ne put y reprendre pied. Il continua à soutenir son poids de ses deux mains, en tournant et oscillant lentement. Je m'étais servi d'une torche électrique pour repérer la branche appropriée et juger de l'élan. Je braquai sur Dodd le faisceau lumineux. Il se balançait toujours, en roulant vers moi des yeux terribles. J'éteignis la lampe puis, après avoir remis mes chaussures, je demeurai là à attendre, dans l'obscurité. J'entendis enfin le râle final. Je retournai à pied à la ferme, repris ma voiture et rentrai chez moi. Je savais que maintenant tout était fini. Sewell serait libéré. Et le coupable avait été puni. Je me sentis de nouveau purifié, comme au moment où j'avais décidé de tuer ma nièce.

» Lorsque Sewell m'a parlé aujourd'hui, la colère m'a aveuglé. Je savais que tout était terminé. Et j'étais furieux de l'avoir tiré d'affaire pour qu'il m'en remercie de cette façon.

Pryor se dressa lentement. Il se tourna vers le capitaine Kruslov :

— Maintenant que vous connaissez toute l'histoire, Capitaine, maintenant que je vous ai tout expliqué en détail, puis-je rentrer chez moi ? Je vous serai reconnaissant de ne donner à cette affaire aucune publicité.

Je jure que Kruslov fut réellement suffoqué qu'il faillit dire oui. Cependant, il se reprit vite :

— Oh ! Non, Mr. Pryor ! Vous ne pouvez pas rentrer chez vous.

— Auriez-vous par hasard projeté de me détenir ? Ici ?

— Je crains que oui.

— Bon ? Eh bien ! Alors, finissez-en le plus rapidement possible avec vos formalités. Pourrai-je rentrer chez moi cet après-midi ?

Je vis que Kruslov commençait à tiquer. Il se leva à son tour et sourit :

— Mr. Pryor soyez assuré que nous nous occuperons de tout cela avec autant d'efficacité que nous en sommes capables. Si vous voulez bien venir avec moi, Monsieur ?

Ils s'inclinèrent à demi l'un devant l'autre. Au moment où ils allaient franchir la porte, Willy Pryor dit encore :

— Souvenez-vous, Capitaine. Aucune publicité. Et je voudrais voir Judd Jutton le plus tôt possible. Faites-le venir, je vous prie.

— Par ici, Mr. Pryor, fit Kruslov gentiment.

Lorsque je sortis de la pièce à mon tour, j'aperçus le jeune John Olan sur l'un des bancs du couloir central. Il était en train d'étudier un échiquier de poche.

— Encore de nouvelles variantes ? m'informai-je.

Je le fis sursauter. Quand il me reconnut, il me sourit :

— Exactement.

Il pointa son menton vers l'autre extrémité du couloir :

— Alors, c'est lui qui a fait ça ? Mon père et ma sœur ?

— Oui, je suis navré.

Ses yeux étaient deux miroirs sombres qui ne reflétaient rien. Sa bouche eut une petite grimace de chagrin, vite effacée, puis il s'absorba de nouveau dans la contemplation de son échiquier miniature. Je n'existais plus. Il était retourné dans un monde géométrique qui ne connaissait d'autres dieux que la raison et la logique et les cœurs n'étaient que des prismes, froids, durs et bien taillés.

Peut-être ce monde-là était-il, après tout, un assez bon refuge.

11

Je ratai l'enterrement de Dodd. Le lundi, à une heure trente, je m'envolais pour New York, conformément au télégramme que j'avais reçu le matin même.

SOYEZ A MON BUREAU AUJOURD'HUI A CINQ HEURES TRENTE.
STRICE.

Je ne me sentais ni humble ni penaud.

J'étais plutôt dans cette sorte de colère sourde qu'un rien suffit à faire exploser.

En arrivant à l'aéroport, je pris un taxi qui me déposa, à cinq heures vingt exactement devant l'immeuble de la C.P.P., au centre de Madison Avenue.

Les ascenseurs déversaient leurs derniers contingents d'employés et il n'y eut personne pour me tenir compagnie, tandis que je m'élevais jusqu'au dix-huitième étage où était installé le bureau de réception. Là, une jeune personne déjà toute prête à partir, décrocha son téléphone pour m'annoncer, après quoi je fus autorisé à pénétrer dans les sanctuaires directoriaux. Il me fallut encore montrer patte blanche à une autre jeune personne, en faction dans un petit bureau, avant d'être enfin introduit chez Homer Stice, Président-directeur général, chargé du département de la Production.

— Asseyez-vous, Sewell, me dit-il. Mr. Stice est un grand gaillard florissant qui a débuté tout en bas de l'échelle. Tout au long de sa brillante carrière, il s'est appliqué à adopter un style britannique, une expression de stupidité indécrottable et des manières joviales et bon enfant. Il adore qu'on le sous-estime. En fait, il a l'esprit aussi acéré qu'une pointe de gratte-ciel.

Ce jour-là, Mr. Stice avait laissé de côté sa courtoisie affectée, son air niais et sa jovialité. Il fixait sur moi un œil aussi froid qu'un bloc de glace importé du Groenland et conservé dans du mercure.

Je m'assis.

— Qu'est-ce que c'est que ce scandale, Sewell? commença-t-il. Qui croyez-vous que nous employons dans nos usines? Des gigolos? Des coureurs de jupons? Depuis quand une situation honorable à la C.P.P. est-elle devenue une façade pour noctambules débauchés? Vous, les jeunes gens de bonne famille, vous me faites mal au cœur. Quelle sorte de fichue raison allez-vous me donner pour me convaincre que je dois vous garder, ne serait-ce que pour récurer les lavabos?

Ce discours agit comme un courant d'air. Il attisa en moi ce qui ne demandait qu'à se déclarer. Je me levai et abattis mes deux poings sur le bureau :

— Qu'est-ce qui vous fait croire que je tiens à rester dans votre sacrée boîte?

Il se dressa à son tour, son nez à deux centimètres du mien :

— Des gens comme vous, il y en a treize à la douzaine, Sewell.

— Ne me classifiez pas, nom d'un chien!

— Vous vous croyez sans doute unique, beugla-t-il.

— Oui !

— Irremplaçable !

— Oui ! Rien ne m'oblige à travailler pour cette boîte. Je peux travailler pour n'importe qui. Je ne serai pas en peine pour trouver une situation ailleurs.

Nous nous affrontâmes du regard un moment. Brusquement sa voix changea :

— Asseyez-vous, sapristi, fit-il sourdement.

Nous nous rassîmes ensemble. Il fit opérer un quart de tour à son vaste fauteuil, prit une pastille de menthe dans le tiroir de son bureau, se la fourra dans la bouche puis se mit à fixer l'immense baie vitrée qui constituait l'un des murs de son bureau et d'où l'on avait une vue magnifique sur l'Hudson.

Finalement, il se leva, obliqua vers un coin de la pièce et ouvrit un placard d'où il tira une bouteille de whisky.

— Avec de l'eau, dis-je.

Après avoir rempli généreusement deux verres, il les apporta, m'en donna un et cracha ce qui restait de sa pastille de menthe dans une corbeille à papiers en cuir.

— A votre santé.

— A la vôtre.

Il sirota un moment en silence, en évitant de me regarder.

— Sewell, dit-il enfin, qu'est-ce que vous croyez qu'il arrive aux jeunes gens qui savent n'être que du bon matériel humain pour la C.P.P. ?

— Ils finissent par être un jour P.-D.G. Que le diable les emporte.

Il avala une autre gorgée.

— Erreur. Ils font une belle carrière. Ils deviennent directeurs d'usine. Ils dirigent des départements divers. Et ils finissent avec de belles retraites et de charmants petits-enfants.

— Et alors ?

— Maintenant, qu'est-ce qui arrive aux mauvaises têtes ?

— Vous les flanquez à la porte personnellement.

Il hocha la tête.

— J'en flanque dehors la plupart. La plupart nous quittent et vont travailler dans d'autres entreprises. Mais nous nous arrangeons pour en garder quelques-uns. Nous y sommes obligés.

— Pour quoi faire ? Pour vous distraire ?

— Parce que nous avons éventuellement besoin d'eux pour la haute direction. Pour surveiller les directeurs d'usine, les chefs de département et tous les autres « presque ». Si nous voulons assurer dans l'avenir la réussite de notre firme, nous devons retenir, dorloter, chouchouter quelques têtes de cochon. Telles que vous, par exemple.

— Pardon ?

— Vous n'aurez plus guère le temps de respirer, Sewell. Je me charge personnellement de vous en faire baver. Si vous trouvez un jour que j'exagère, vous pourrez partir, et là je vous jure bien que je ne vous retiendrai pas.

— Ecoutez, je…

— Taisez-vous une minute. Dans cinq ans, si vous avez tenu le coup, je vous ferai venir ici. Et alors là, vous en baverez vraiment. En attendant, vous allez retourner là-bas pour prendre la place de Dodd Raymond.

— Merci.

Il me regarda d'un air dubitatif :

— Vous le pensez vraiment ?

— Pas absolument. En fait, je l'ai mérité.

— Vous avez également mérité ce qui vous est arrivé là-bas. Vous n'auriez pas pu vous débarrasser de cette boîte de conserve, non ?

— Ça, je le sais aussi.

— Finissez votre verre.

188

J'obéis et me levai. Nous échangeâmes une poignée de main. Une lueur de satisfaction brillait dans son œil. Je réalisai avec surprise que je pourrais même avoir de l'affection pour ce sacré bougre d'animal.

Au moment où j'allais atteindre la porte de son bureau, je me retournai.

— En passant, fis-je, je vous annonce que je vais épouser ma secrétaire.

— Je me fiche que vous épousiez même votre blanchisseuse, si ça vous chante. Tout ce que je veux, c'est quatorze heures de travail par jour.

Je claquai la porte aussi fort que je le pus. Mon ami Tory m'avait attendu. Je le mis au courant des événements. Nous passâmes la soirée à boire joyeusement et, à minuit, il me mit dans l'avion. Le mardi matin, à huit heures et demie, j'étais à l'usine. Toni Mac Rae est devenue ma femme, le samedi suivant. Nous allons vivre à Warren jusqu'à ce qu'on nous envoie dans une autre ville.

Achevé d'imprimer en avril 1980
sur les presses de l'Imprimerie Bussière
à Saint-Amand (Cher)

— Nº d'édit. 4229. — Nº d'imp. 591. —
Dépôt légal : 2ᵉ trimestre 1980.
Imprimé en France